LES CV QUI MARCHENT

École de gestion / School of Management
Centre des carrières / Career Centre

Pierre-Eric Fleury

LES
CV
QUI MARCHENT

ISBN 2-87691-575-8.
Dépôt légal : 3ᵉ trimestre 2000.

Nous nous efforçons de publier des ouvrages qui correspondent à vos attentes et votre satisfaction est pour nous une priorité.
Alors, n'hésitez pas à nous faire part de vos commentaires à :

Éditions Générales First
13-15, rue Buffon
75005 Paris – France
Tél : 01 55 43 25 25
Fax : 01 55 43 25 20
Minitel : 3615 AC3*FIRST
Internet e-mail : firstinfo@efirst.com
En avant-première, nos prochaines parutions, des résumés de tous les ouvrages du catalogue. Dialoguez en toute liberté avec nos auteurs et nos éditeurs. Tout cela et bien plus sur Internet à : www.efirst.com

Bienvenue sur le chemin de la recherche d'emploi !

Ce chemin a beaucoup évolué ces dernières années, passant du sentier non défriché (les années 70, celles du plein-emploi), au chemin escarpé et difficile d'accès (les années 80 et 90, celles du chômage), jusqu'à la route rapide (la fin des années 90, celles du retour à l'emploi, de la croissance vive et de la nouvelle économie).

Les conseils et analyses que l'on pouvait donner voici seulement trois ans ne sont certes pas complètement dépassés, mais des chemins nouveaux se sont ouverts, de nouveaux outils d'approche du marché ont vu le jour; écrire un livre sur le sujet est de plus en plus délicat.

En rédigeant ce guide rapide* des CV qui marchent, j'ai souhaité proposer une approche un peu nouvelle des stratégies de recherche d'emploi ; celles-ci passent toujours, à mon avis, par le CV, point de rencontre entre un désir (celui du chercheur d'emploi), et une exigeance (celle du recruteur). Quels que soient les « internet » actuels ou à venir, il faudra toujours, je le pense, réfléchir sur son métier, sur son emploi, sur ses compétences et sur la façon de faire au mieux correspondre un profil avec une carrière. Il faudra donc toujours réfléchir à la manière de « vendre » ce profil au recruteur.

---

* Ces informations sont reprises et détaillées dans un ouvrage plus complet : *Le guide du CV 2000* – 1999 – 696 pages.

C'est le modeste projet de cet ouvrage: donner un petit « coup de pouce » au futur candidat que vous êtes, pour la meilleure efficacité.

Mais, avant que vous ne lisiez les conseils pratiques de la rédaction de votre CV, je vous engage à noter ci-après les quelques remarques fondamentales qui me sont apparues au cours de ma carrière de recruteur.

Ne zappez pas trop

La conception de cet ouvrage le rend très souple d'utilisation : on peut y entrer par un chapitre ou par un autre, selon la nécessité du moment, les besoins et la sensibilité de chacun.

Cependant, je propose, en toute priorité, de lire la partie Bilans et Objectifs, tout à fait fondamentale. Montre en main, vous en aurez terminé en moins d'une heure et ces quelques minutes d'attention vous feront gagner des semaines d'interrogation, d'hésitation et de piétinement.

Vous entrez en guerre, et même en guerilla

La recherche d'emploi est une sacrée bataille : l'emploi est plus rare aujourd'hui qu'autrefois, les assaillants sont nombreux, les stratégies nécessaires aux différents terrains.

La préparation mentale, en ce sens, est essentielle, et le moindre espoir de succès la rend obligatoire.

Il vous faut compter sur vos propres ressources

Trouver un emploi est un acte individuel, assez représentatif, d'ailleurs, des comportements et des capacités de l'individu : chacun est toujours seul face à son CV et à la recherche d'emploi.

Les conseils d'autrui, ou de « spécialistes » sont inutiles et nuisibles : personne à votre place, ni mieux que vous, ne peut déterminer ce que sont vos envies, vos freins et vos handicaps.

Votre CV est votre ambassadeur, mais il n'est que votre reflet

Il faudra que vous assumiez tout son contenu, et plus encore, lors des entretiens d'embauche. Le CV ne peut donc être que le fruit de votre volonté d'aboutir et de gagner, car il s'agit bien d'une course d'obstacles, avec un seul vainqueur à l'arrivée.

Il est impossible de mentir au long de ce parcours

Je n'ai pas rencontré une seule personne capable d'aller jusqu'au bout d'une construction factice. Les recoupements, l'expérience du recruteur ou l'irréalisme de certaines situations démasquent l'imposteur. L'échec est proclamé, la honte dure à supporter, et le poste perdu.

Soyez vous-même, et soyez-le bien, intelligemment. Passez du temps, beaucoup de temps, sur vos choix, sur vos démarches et sur ces trois feuilles de papier, sésames consécutifs d'un entretien où tout se décidera.

Votre panoplie de combattant

L'outil numéro 1 de ce parcours reste naturellement le CV et la lettre d'accompagnement. Ce sont les armes indispensables, que l'on retrouvera au centre de l'ouvrage, munies des derniers perfectionnements de la technique ! J'ai fait précéder cet outil d'un mode d'observation du terrain (méthodes d'analyse des bilans et fixation des objectifs) ainsi que d'un système d'aide aux choix offensifs (analyse des différentes stratégies de recherche).

Enfin un manuel de survie à la guerre psychologique (conseils pour l'entretien de recrutement) sera suivi de quelques bonnes caisses de munitions (un répertoire dense et sélectionné).

Il restera au guerrier que vous êtes à prendre les meilleurs chemins pour arriver à la victoire ! Un dernier point tout de même, pour revenir sur terre : vous ne trouverez pas avec certitude un emploi, mais vous avez toutes les chances de décrocher l'entretien, et surtout de partir avec un moral de vainqueur !

Bon courage, et bon voyage dans ce parcours : je vous suis pas à pas !

Paris, septembre 2000.

Nous voici dans le cœur du sujet : l'heure des bilans.

À l'époque d'internet, où tout va très vite, où les décisions planétaires sont parfois prises à toute allure, un petit moment de pause, avant d'engager les 3 ou 10 années à venir, seront les bienvenues. Prenez le temps de penser à vous, je veux dire : vraiment à vous, à ce que vous êtes, à ce que vous vouliez être, à ce que vous voulez devenir... Peu de gens auparavent vous ont tenu ce language, à part peut-être vos parents ou éducateurs; c'est à mon tour, moi que vous ne connaissez pas, de vous inciter à vous tourner vers vous-même, pour un seul objectif : être plus efficace dans l'acte de recrutement (je n'ai pas la prétention à vouloir faire votre bonheur... !)

Tous les recruteurs de ma connaissane tiennent le même discours : ils assistent à des entretiens ou lisent des proses qui souvent n'arrivent pas à prouver que la personne recherchée (le profil) calque bien avec la personne présente en face d'eux. Le problème réside dans la pertinence de la démarche : il n'y a pas meilleur vendeur d'un discours que celui qui « habite » le personnage qu'il prétend vendre : les réponses coulent de source, la disponibilité est entière, la réactivité rapide ; bref, le recruteur « sent » qu'il tient un individu en accord avec son discours.

Faire son bilan professionnel, avant d'aborder son bilan personnel, c'est regarder la réalité en face, comptabiliser les succès comme les échecs, bref analyser le passé avant d'envisager, pour le meilleur, l'avenir.

N'hésitez pas à passer du temps sur cette séquence : vous ne regretterez jamais !

1 • FAITES VOTRE BILAN PROFESSIONNEL

Il s'agit d'abord de faire un check-up de votre carrière.

Faites-le par écrit, et n'oubliez pas de mettre le résultat au propre. Ce sera votre « journal de bord », une fiche définitive qui servira à la rédaction de votre CV et à votre préparation à l'entretien.

Faites comme si vous prépariez le CV de quelqu'un d'autre.

Décortiquez votre formation

→ Énumérez les éléments de votre formation en indiquant par ordre chronologique les diplômes dont vous êtes titulaire, le premier de la liste étant le dernier obtenu ou le plus important. Spécifiez les mentions si vous en avez eues. Attachez-vous surtout à vos derniers diplômes.

→ Cette liste établie, déterminez les grands axes de votre formation. N'oubliez aucun détail. Un détail pourra vous positionner avantageusement par rapport à un concurrent.

→ Faites ressortir vos points forts.

Réalisez cet exercice sous la forme d'un tableau. Celui-ci vous sera très utile pour trois raisons :

1) il vous permettra d'abord de plonger en vous-même et d'y voir clair, de mettre à jour vos souvenirs ;

2) il mettra en évidence les informations sur la base desquelles vous allez construire votre CV ;

3) il mettra en ordre ces informations et, surtout, il les hiérarchisera.

Le tableau de la page suivante fait état de votre niveau et vous permet donc de faire ressortir vos points forts.

DIPLÔMES	NIVEAUX		
	Élémentaire	Maîtrise	Expertise
Date			
Intitulé **Directeur** de stage d'études d'établissement			
Grands axes Économie Droit Gestion Philosophie Anglais Etc.			
Spécifications			
Formations complémentaires Professionnelles Non professionnelles			
Stages de perfectionnement			
Séminaires			
Publications, communications			
Voyages d'études			
Recherches personnelles			
Centres d'intérêt			
Connaissances particulières Culturelles Techniques Sportives Etc.			

Décortiquez votre carrière

Pour vous permettre d'établir votre bilan professionnel personnel, nous vous proposons de répondre de la manière la plus complète possible aux questions suivantes.

● *Le futur, actuel ou dernier emploi*

Deux cas se présentent :

→ Vous cherchez un premier emploi ou vous reprenez le chemin du travail après une interruption

Indiquez d'abord les stages que vous avez effectués, puis répondez aux questions.

→ Vous êtes en activité

Répondez directement aux questions :

– date d'entrée

– premier salaire

– date de départ

– salaire de départ

– la raison pour laquelle vous avez quitté votre entreprise.

Dans cette éventualité, et si cette décision est de votre fait, précisez pourquoi :

– désintérêt au travail,

– salaire insuffisant,

– absence de perspectives, etc.

Si vous n'êtes pas sûr des salaires qui sont pratiqués, reportez-vous à l'*ARGUS des salaires,* présenté quelques pages plus loin, ou bien faites des recherches sur Internet - sur n'importe quel moteur de recherche comme ALTA VISTA ou LYCOS en cherchant SALAIRES. Vous pouvez enfin consultez le Minitel (3614 MGS – guide des services Minitel – puis SALAIRES). De nombreux périodiques publient des informations sur le sujet : *L'Expansion, L'Usine nouvelle, Capital...*

● *L'entreprise*

Définissez le type de produit fabriqué ou le type de service rendu par l'entreprise. Rédigez votre définition en une phrase.

● *Les fonctions, tâches et compétences*

Il s'agit du travail le plus ardu de la partie bilan.

Nous vous conseillons de traiter ces données sous forme d'un tableau synoptique. Leur exploitation ultérieure en sera facilitée, notamment pour la rédaction de votre CV ou vos « révisions » avant un entretien.

Vous déterminerez rapidement, en quelques mots, ou une phrase, les points de ce tableau :

> – les fonctions, auxquelles vous attacherez le titre : celle du départ, celle de l'arrivée, ainsi que les fonctions et titres intermédiaires,
>
> – les tâches et responsabilités afférentes,
>
> – les compétences requises,

– les réalisations : à chiffrer et à quantifier,

– votre analyse de la situation.

Cherchez toujours à savoir, à ce stade, quel est le problème de l'entreprise, quel est son besoin premier. Faut-il :

– augmenter les ventes,

– baisser les coûts,

– remplacer quelqu'un,

– créer un poste,

– licencier du personnel,

– développer l'export, la communication, le contrôle financier, etc. ?

Si vous gardez ces questions à l'esprit, vous pourrez facilement analyser les situations dans le sens d'une réponse conforme à vos intérêts.

L'entreprise

Pour chacune des trois tâches que vous venez de lister, dites :

– à quel(s) talent(s) ou connaissance(s) vous faisiez appel pour accomplir cette tâche de manière satisfaisante,

– quelles sont les deux réalisations dont vous êtes le plus fier.

Efforcez-vous de quantifier les données : bénéfice, augmentation du CA, gain de temps, économie d'argent...

Nous vous conseillons d'utiliser des termes traduisant l'action et le mouvement, et pour vous aider dans l'emploi d'expressions en adéquation avec le monde du travail, inspirez-vous de celles-ci – sans exhaustivité – et parlez de :

- contribution à l'accroissement des bénéfices, à la baisse des coûts, à l'augmentation des ventes,

- augmentation de la productivité, de la production,

- amélioration des produits, de la qualité ou des services,

- amélioration des relations avec la clientèle,

- amélioration des conditions de travail, contribution à l'apaisement des conflits,

- amélioration de la qualité de la communication et de la circulation de l'information,

- diminution des temps d'exécution, de fabrication, de transport, de commercialisation,

- diminution des charges, des invendus, de la non qualité,

- développement d'une nouvelle technologie, de nouveaux produits ou services, ou de nouvelles procédures,

- amélioration des process industriels,

- innovation en matière de relations sociales, de management,

- découverte de nouvelles idées, de nouvelles techniques, de nouveaux processus,

– exécution des directives et des programmes selon les objectifs,

– anticipation d'un besoin ou d'un problème et action immédiate pour y répondre,

– amélioration du retour sur investissement,

– exécution conforme aux plans de développement.

N'oubliez pas de chiffrer, si possible, et d'être toujours très concret. Il faut que le recruteur touche du doigt ce que vous lui décrivez. Ce travail servira également de cadre à votre futur entretien.

Vous

Répondez à ces quelques questions vous concernant :

→ Ce travail a-t-il été remarqué ?

→ Avez-vous été promu ? Pourquoi ?

→ Avec qui vous trouviez-vous en relation pour accomplir votre travail – collègues, subordonnés, supérieurs ?

→ Comment vous y preniez-vous pour vous assurer leur collaboration ?

→ À quel trait de votre personnalité avez-vous fait appel pour y parvenir ?

Utilisez toujours des mots actifs et positifs : écoute, capacité de négociation, autonomie, motivation, réaction, sens de l'efficacité, adaptabilité, créativité, etc.

Historique

Répétez l'exercice pour chacun des employeurs précédents, même s'ils sont anciens. Il est vrai que votre CV ne mettra l'accent que sur vos trois derniers emplois, ou les dix dernières années, mais cet exercice vous permet, non seulement de vous ressaisir psychologiquement, mais encore de vous aiguiser pour l'entretien. Faites-le à fond. Jouez le jeu.

Vous serez alors prêt à répondre efficacement pendant l'entretien. Vous ne serez plus désarçonné ou démuni lorsqu'on vous demandera de parler de vous.

Analysez la situation pour déceler une (d')éventuelle(s) incohérence(s). Posez-vous la question de savoir pourquoi et comment. Cela peut, dans certains cas, vous amener à conclure que votre carrière a, jusqu'à présent ou à un moment ou à un autre, pris une direction qui n'est pas la bonne.

Cette conclusion éventuelle dépendra aussi de l'analyse de votre personnalité. Si vous êtes un solitaire, que vous n'aimez pas les contacts, et que vous vous destinez à l'animation, il y a là une contradiction dont il faut tirer les conséquences.

Un dernier conseil : si vous avez des trous, ne vous inquiétez pas. Il existe toujours un moyen de rendre positifs des éléments qui, a priori, peuvent paraître négatifs.

Si vous avez traversé une période de chômage, dressez la liste de ce que vous avez fait au cours de cette période : présidence d'une association, lancement d'un commerce, acheminement d'une aide humanitaire, etc.

Vous découvrirez des éléments positifs qui vous mettent en valeur : goût de l'action, générosité, sens du travail en équipe, goût des symboles.

TABLEAU SYNOPTIQUE D'ANALYSE DE POSTES

Fonction	Tâches Responsabilités	Compétences	Réalisations	Analyse
Cadre juridique junior (département international)	Élaborer les contrats de licence	Rigueur – Rapidité – Imagination	250 contrats établis sans conséquences négatives	Pas assez en contact avec le licencié – Travail en solo
	Veiller à la conformité des normes européennes	Imagination – Ouverture – Curiosité – Multilinguisme	Echange de données européennes – 8 pays, 34 contrats professionnels, 1 correspondant permanent à Bruxelles	Capacité à aller chercher l'info « inexistante » – Bonnes relations professionnelles confraternelles
	Pompier juridique	Adaptabilité – Sens de l'écoute	Tous problèmes abordés – Un centre d'intérêt fort : la gestion de personnel	5 procès gagnés aux prud'hommes
Directeur d'unité (restauration rapide)	Motiver le personnel	Leadership	Baisse de 20 % en deux ans du turn-over – Contribution à l'augmentation de l'indice de satisfaction de la clientèle	Capacité d'absorption des « coups d'accordéon », aussi bien techniques qu'humains – Vision à long terme en matière de communication et de politique salariale – Intégrer la direction du personnel du siège ?
	Absorber les « coups de feu »	Rapidité	Satisfaction de la clientèle – Recrutement d'un chef de groupe hors pair	

→

(suite)

Fonction	Tâches Responsabilités	Compétences	Réalisations	Analyse
Directeur d'unité (restauration rapide)	Interface clientèle	Adaptabilité	Satisfaction de la clientèle – Recrutement d'un chef de groupe hors pair	
	Amélioration des objectifs économiques (turn-over, rentabilité)	Clairvoyance sur les recrutements Capacité à déléguer, capacité de choix économiques	Baisse de 20 % en deux ans du turn-over – Contribution à l'augmentation de l'indice de satisfaction de la clientèle – Baisse des coûts de production internes	

2 • FAITES VOTRE BILAN PERSONNEL

Bilan technique

Votre CV comprendra, outre votre formation, une série d'informations classées par rubrique.

● *Les informations complémentaires à votre métier*

Langues

Indiquez toutes les langues que vous connaissez, même si vous les connaissez mal. Dans ce dernier cas, spécifiez « notions de ». L'anglais, est-ce utile de le souligner, est le plus souvent indispensable. Il fait aujourd'hui partie de la panoplie standard du candidat. Si vous avez des faiblesses en anglais, mettez-vous à niveau d'urgence.

Informatique

Connaître l'informatique apporte un plus appréciable. Détaillez votre connaissance des systèmes et des logiciels. Il n'est plus aujourd'hui nécessaire de préciser ses connaissances en micro-informatique courante, sauf si vous avez plus de 45 ans.

Communication-publications

Si vous avez publié un livre ou des articles, dites-le en précisant les titres, nommez l'éditeur ou la revue. Si vous intervenez dans des organismes avec une expertise particulière, faites-en part.

Centres d'intérêt

Dressez la liste des activités personnelles qui vous valorisent. Tout n'est pas forcément digne de figurer dans votre CV, mais les activités qui n'auront pas à y être citées pourront enrichir votre entretien. Pensez aux clubs, aux associations... auxquels vous appartenez. Pensez à vos expériences originales, à vos actions caritatives... et à leurs représentations.

Les traits de votre personnalité

Avant d'établir votre CV et après avoir dressé votre bilan professionnel – votre formation et vos expériences –, avoir rempli les autres rubriques, et toujours dans le but d'amasser les matériaux sur la base desquels vous allez le rédiger, il convient que vous réfléchissiez à votre personnalité.

Cet examen devient nécessaire pour le postulant, dans les cas où :

- il a une mauvaise connaissance de lui-même,

- il débute,

- il traverse une crise psychologique.

Pour chacun de ces points, et en vous appuyant sur vos expériences personnelles, qu'elles aient été agréables ou désagréables, formulez vos impressions en réponse à chacune de ces trois questions :

- Qu'en pensez-vous vous-même ?

- Qu'en pensent les autres ?

- Quelle est votre conclusion ?

• la confiance en soi

• l'ambition

• l'autorité

• la faculté d'adaptation

• la faculté d'écoute

• les talents de négociateur

• l'esprit d'initiative

• l'esprit d'analyse

• l'esprit de synthèse

• la créativité

• le sens de l'organisation

• le bon sens

• la disponibilité

- la persévérance

- la résistance au stress

- le charisme

- le leadership

- la responsabilité

- l'enthousiasme

- l'ouverture d'esprit

A ce stade, vous pouvez également vous arrêter un moment pour aborder une phase plus introspective du bilan personnel : il s'agit de développer une hiérarchie des atouts et compétences que vous estimez posséder.

Nous vous proposons un petit exercice pratiqué par les conseils en carrière américains, pour aider leurs clients à faire le tri dans leurs compétences :

1) Détaillez sur une feuille de papier une courte expérience récente, concernant plutôt votre vie privée que votre vie professionnelle. Il peut s'agir d'un voyage, de l'achat d'un appartement, de l'organisation d'une soirée, etc.

2) Mentionnez et décrivez :

1/ les buts recherchés,

2/ les contraintes, obstacles et aides rencontrés,

3/ les étapes de la réalisation de votre projet, pas à pas,

4/ les résultats de vos actions,

5/ la quantification de ces résultats.

Vous répétez l'opération pour trois projets/expériences.

3) Ce travail accompli, analysez à travers vos actes les compétences déployées au cours de ces actions, qu'elles soient positives ou négatives à vos yeux.

4) Répartissez ensuite ces compétences dans trois grandes sphères :

– les gens

– les choses

– les données (informations).

Pour vous permettre de vous y retrouver, sachez que :

➔ *la sphère des « gens » regroupera vos compétences en matière de relations entre les humains : vous préciserez si vous vous situez au niveau de superviseur, preneur d'instruction, créateur d'ordre, négociateur, orateur (transmetteur), etc.*

➔ *la sphère « objets » regroupera vos compétences en matière de comportement avec les choses : vous préciserez si vous êtes plutôt manutentionnaire, contrôleur, organisateur (créateur), manipulateur, etc.*

➔ *la sphère « données » ou « informations » enfin regroupera vos compétences en matière de comportement avec ce concept : vous préciserez si vous êtes plutôt copieur, analyseur, synthétiseur, coordinateur, etc.*

Limitez à 10 (précisément) le nombre de compétences par sphère.

5) Hiérarchisez ensuite ces compétences par ordre décroissant ; vous placerez en tête la compétence que vous préférez. Vous avez trois colonnes (gens, objets, données). Extrayez les trois premières compétences (une par colonne) que vous avez inscrites et formez une nouvelle entité reprenant ces trois compétences ; vous ferez de même pour les deuxièmes niveaux, puis les troisièmes, ainsi de suite.

A la fin de ce travail, vous avez 10 nouvelles entités, appelées groupes de compétences, qui forment l'ossature de votre profil personnel.

6) Placez ces groupes de compétences (un cube dans lequel vous aurez inscrit vos trois compétences) en ordre pyramidal : en haut de la pyramide trônera votre « premier cube », en dessous les deux cubes de hiérarchie 2 et 3 soutiennent le premier, lesquels sont soutenus par les cubes d'ordre 4, 5 et 6, et ainsi de suite.

Vous aurez déterminé votre diagramme de compétences, qui vous servira utilement lors de la qualification de votre objectif professionnel.

Construisez votre diagramme de compétences

Bilan qualitatif et affectif de votre carrière

Énumération

Ce travail permet de dépasser les facteurs purement professionnels ou techniques qui caractérisent vos emplois depuis vos débuts d'activité professionnelle. Vous pouvez par exemple établir un tableau qui pourrait ressembler à celui-ci :

Tableau qualitatif et affectif ☞

Dates	Éléments circonstanciels	Points positifs	Points négatifs (temps, lieu, cause, relations, objet, etc.)
1984-87	Début d'activité chez Young & Rubicam. Équipe très jeune, très soudée. Je fais tous les boulots, je suis l'esclave de tous, patron inexistant, travail harassant. Fond de bureau derrière les toilettes.	J'apprends tout, très autonome, je me plante souvent, mais ça passe. Navigue entre haines et jalousies : c'est ma meilleure formation en relations humaines. En deux ans, je sais presque tout faire.	Je me fais avoir, je n'existe pas dans la structure. Je ne pratique plus l'italien. Salaire de misère, mais ça va.
1987-89	Après ma démission/ tuyau copine sur création poste événemen-tiel = assistante direc-teur. Pas de formation : direct action/ terrain. Loin domicile. Très exigeant/proche, très directif. On change tout le temps de projet. Nuit/ jour : je passe ma vie avec l'entreprise.	Je gagne bien (primes), je vis des rêves (ciné, stars, exotisme). Rencontres avec gens de tous bords. Amitiés. Vivre avec luxe.	Pas le temps dépenser argent gagné. Patron = ventouse/ amant. Je n'existe plus ; fatigue ; impression de vide.
1989-92	Mi-temps ATD quart monde because rencontre amour/vérité. Lyon (déménagement) : province sympa. Mili-tante/combat = en découdre avec l'ennemi. Belles opérations média/ fric.	Sens/objectif. Harmonie, ça marche aussi parce qu'il est là. Impression d'être utile, utilise très fort compétences.	Peu (pas) de salaire, pas de vraies compétences autour de moi (mili-tants = amateurs). Visions stratégiques trop lointaines et idéologiques.
1999-99	Séparation avec lui. 15 mois recherche/ déprime. Rentre chez Carrefour/marketing après compétition (dure) banlieue Paris. Chef de secteur puis chef de groupe, puis responsable grandes promos. Hiérar-chie très imaginative, bien gérée. Gestion des ressources humaines : objectifs et motivations.	Bon salaire, je choisis mes collaborateurs. On donne mais on est récompensé. Progression de l'entreprise, vision à l'international.	Est-ce que je m'enfonce dans la grande distribution? Ne connais plus que ce milieu. Suis draguée en permanence. Mais il fait froid dehors = piège ?

Une fois ce tableau rédigé, il convient d'en extraire les principales informations en termes de compétences liées à votre personnalité profonde. Cette analyse est importante dans le sens qu'elle situe vos compétences dans une finalité de vie, que seul(e) vous pouvez tracer et qui vous appartient, mais que bien souvent nous ignorons quand il s'agit de projeter une activité professionnelle. Or, si vous êtes « clair » sur votre projet professionnel parce qu'il s'inscrit le plus parfaitement possible dans votre finalité de vie, alors vous gagnerez à tout coup ce combat ponctuel du recrutement parce que vous serez fort.

Vous pourrez ainsi clarifier vos désirs et vos freins, déterminer non pas **pourquoi** vous travaillez, mais **pour quoi**.

Essayer d'établir ensuite une liste de valeurs qui occupent votre espace vie/profession : par exemple, déterminez un cercle (cible), découpé en parts concentriques représentant chacune une de ces valeurs (famille, amis, argent, voyages, réalisation, réflexion, etc.).

Vous tenterez de vous situer à l'intérieur de ce cercle pour chacune de ces valeurs : vos valeurs fondamentales seront repérées près du centre du cercle, les valeurs peu importantes, ou périphériques, se situeront vers l'extérieur du cercle.

Phase finale

Vous allez pouvoir établir une série de positions personnelles découlant du découpage que vous venez d'accomplir.

Il s'agira de répondre le plus honnêtement possible aux questions suivantes :

→ l'argent

- niveau minimum nécessaire,

- rémunération idéale,

- capacité d'épargne,

- progression à 5 ans.

→ l'activité

- capacité de changement de métier,

- endurance potentielle au chômage,

- circonstances dans lesquelles je suis bien dans ma peau (heureux ?),

- ce que j'aurais voulu faire si les circonstances de la vie s'étaient présentées autrement,

- pour quel métier manuel suis-je fait(e),

- quel travail à domicile pourrais-je effectuer,

- suis-je un(e) créateur d'entreprise ?

→ la qualité de vie

- avec quel genre de personnes suis-je bien,

- quelles sont mes valeurs fondamentales,

- quel environnement ne me convient pas,

- quel genre de contraintes ne puis-je supporter,

- que m'apportent les autres ?

→ les responsabilités

- quel genre de responsabilités m'intéressent,

- quel rôle est-ce que j'aime jouer,

- quelles capacités ai-je à la prise de décisions,

- quelle est ma sensibilité au système sanction/récompense ?

Répondez longuement à ce questionnaire et, dans la mesure du possible, faites-le partager à un(e) intime, avec qui vous pourrez vous ouvrir, commenter, approfondir et certainement corriger certaines affirmations.

Vous serez alors prêt à établir une sorte de bilan personnel affectif, qui devra tenir en deux pages maximum, et qui vous permettra de définir votre objectif professionnel.

ACTION/ TEMPS	du ../../19.. au ../../19.. durée :	du ../../19.. au ../../19.. durée :	du ../../19.. au ../../19.. durée :	du ../../19.. au ../../19.. durée :	du ../../19.. au ../../19.. durée :
Entrée					
Activité					
Réalisations					
Sortie					
Savoir-faire acquis					
Apport					

Les CV qui marchent

Remplissez toutes les cases, en commençant par les lignes hautes du tableau (descriptif) et en terminant par les parties basses (analyse); vous verrez apparaître une tendance qui vous permettra de mieux vous situer par rapport à votre objectif professionnel (phase de réflexion) ou de mieux répondre lors d'entretiens serrés, ce qui revient à peu près au même.

3 • DÉFINISSEZ VOTRE OBJECTIF PROFESSIONNEL

Vous disposez désormais de tout ce qui vous est nécessaire pour aborder l'étape suivante : définir des objectifs. Vous devez le faire, et vous le pouvez. A partir de la somme des informations que vous avez collectées, brièvement mais précisément exprimées, classées et mises en fiches.

Les objectifs indiquent la direction à prendre.

Les informations du CV, sa substance en quelque sorte, mettent en relief ce sens et le justifient. Ce sont les objectifs qui donnent cohérence au projet.

Chaque fonction, chaque poste réclamant des qualités et des compétences spécifiques, il est indispensable, pour que votre candidature ait quelque chance d'être retenue, qu'il y ait adéquation entre ce que vous êtes, ce que vous voulez faire, et, éventuellement, ce que l'annonce exige. Vous ne pouvez être un comptable si vous n'aimez pas les chiffres et si vous avez une formation littéraire !

> Attention : ne confondez pas objectif de poste et objectif de carrière :

Situation actuelle	Chef de pub junior
Objectif de poste	Chef d'équipe sectorielle
Objectif de carrière	Directeur de publicité

Définissez votre futur emploi

Trouvez, si ce n'est déjà fait, un titre qui recouvre vos objectifs. Ensuite, notez à la suite les aptitudes, les connaissances et expériences qui sont nécessaires pour accomplir au mieux ce travail :

 – aptitude/connaissance/expérience n° 1 : ...

 – aptitude/connaissance/expérience n° 2 : ...

 – aptitude/connaissance/expérience n° 3 : ...

 – etc.

Cette phase est très importante : elle peut, éventuellement, redéfinir votre carrière.

Nous avons maintes fois vérifié que les aspirations des candidats ne correspondent pas souvent aux métiers exercés, ou aux métiers envisagés. La cause en est souvent une méconnaissance rare des professions et métiers qui s'offrent aux aspirants au travail.

Pour recentrer ce débat, et vous permettre d'y voir clair, nous vous proposons d'aller consulter une liste des métiers pratiqués en France, liste arrêtée (provisoirement !) par l'ONISEP – Office national de l'information sur les enseignements et les professions :

ONISEP

> 12, mail Barthélemy-Thimmonier
> BP 86, Lognes 77423 MARNE-LA-VALLÉE Cedex
> Tél. 01 64 80 35 00,
> Minitel 3615 ONISEP
> Email : *www.onisep.fr*

> Librairie :
> 168, boulevard du Montparnasse 75014 PARIS
> Tél. 01 43 35 15 98.

Méthode de consultation des métiers

Chaque secteur d'activité fait l'objet d'un lot (classés de 1 à 12).

Chaque lot regroupe les métiers de ce secteur, et rassemble donc, sous forme de fiches descriptives des métiers, ces professions.

Malgré le prix élevé de ces fiches (960 F les 12 lots de 400 fiches, au 31 décembre 1999), nous conseillons vivement au lecteur d'acquérir le ou les lots des secteurs d'activités qui l'intéressent ou le concernent. Il y puisera une excellente information, des termes justes et appropriés, et une base de références certaine. Il pourra, le cas échéant, vérifier l'étendue des possibilités de qualification sur un métier donné, imaginer son évolution future, etc.

Rédigez votre accroche

Lorsque vous aurez défini un objectif, relisez les réponses au questionnaire sur votre expérience et les autres informations (formation, personnalité) et relevez toute qualification, tout trait de caractère, toute connaissance concordants.

Vous pouvez, par exemple, adopter cette présentation :

• Chef de fabrication (agence de publicité)		
Aptitudes	**Expérience de poste**	**Connaissances**
Sens technique Capacité de délégation Appréciation du temps/ planning Curiosité	5 ans chez BDDP 2 ans assistante chez Mc Cann 2 ans à l'Imprimerie moderne	BTS Arts graphiques Stage Mécanorma Formation Euro-display 1 pub Oscar de bronze (nuit HEC)

Ou encore :

• Chef de cuisine		
Aptitudes	Expérience de poste	Connaissances
Leadership d'équipe Créativité, imagination Sensibilité gustative Capacité de gestion des fournisseurs	2 ans Rungis appro/mer 3 ans chez Alex Ibert 1 an chez Méga Carton	Ecole de Lausanne Collaboration écriture menus 2ᵉ Grand Prix de Limoges (jeunes cuisiniers)

Vous pourrez alors rédiger une accroche simple composée d'un maximum de 10 mots.

4 • OUTPLACEMENT : N'HÉSITEZ PAS À L'UTILISER, SI VOUS POUVEZ EN BÉNÉFICIER

L'outplacement consiste, pour un (futur) chercheur d'emploi, à faire financer par son employeur (qui projette de se « séparer » de son collaborateur) un « accompagnement » de recherche d'emploi ou de réorientation de carrière.

Ces travaux d'outplacement sont menés par des cabinets, la plupart du temps de petite taille, dirigés par des professionnels du recrutement ou de la gestion des ressources humaines.

L'intérêt de passer par un outplaceur est de plusieurs ordres :

– il permet au chercheur d'emploi de faire un bilan complet sur son métier, sur ses capacités personnelles, sur ses atouts et ses lacunes;

– il offre une assistance technique sur la rédaction du CV, ou la technique de recherche d'emploi ;

– quand il est financé par l'« ex » entreprise, ce conseil s'avère gratuit.

Combien coûte un outplacement ?

Environ 100 000 F en moyenne, pour une assistance de 6 mois environ (base : cadre ayant un salaire de 25 000 F par mois).

En quoi consiste essentiellement la mission d'outplacement ?

• Établissement d'un bilan de carrière
    – rédaction d'un rapport complet et personnel,
    – examen des principaux succès et échecs,
    – détermination des styles de management adéquats et/ou naturels,
    – évaluation des capacités relationnelles,

- évaluation des compétences techniques,
- reconnaissance des talents.

• Préparation des outils de communication
  - élaboration d'un CV,
  - maîtrise du téléphone,
  - entraînement aux entretiens de recrutement.

• Détermination des cibles
  - suivi du candidat dans sa phase de recherche active au niveau de :
  - l'organisation,
  - l'entretien de la forme physique et mentale,
  - conseils en affûtage de l'action;
  - suivi de l'intégration du candidat, une fois le nouveau poste trouvé.

La technique de l'outplacement, encore assez peu pratiquée en France, permet souvent de gagner beaucoup de temps. Mais, quand cet accompagnement n'est pas financé par l'entreprise licenciante, le tarif d'un tel conseil décourage les individus à s'offrir individuellement ce genre de service.

Chapitre 1
Avant de rédiger votre CV

Chapitre 2
Comment construire et rédiger votre CV

Chapitre 3
Des CV très efficaces

1 • LES 6 RÈGLES FONDAMENTALES D'UN BON CV

1. Un bon CV donne envie de le lire

C'est la règle fondamentale d'élaboration, que vous garderiez s'il n'en restait qu'une.

Pour y parvenir, il faut que votre CV soit précis et court.

Votre CV n'excèdera, en aucun cas, deux pages : il sera concis

S'il occupe une seule page, c'est encore mieux !

Sachez qu'un CV de plus de deux pages a de très faibles chances d'être lu.

En effet, le recruteur peut penser que vous manquez d'esprit synthétique. De plus, il reçoit des centaines de CV. Ayez pitié de lui!

Cependant, concis ne veut pas dire lapidaire. Les CV qui ressemblent à des fiches d'état civil, ou qui font se succéder les noms de sociétés, même prestigieuses, ne suffisent pas. C'est un individu qui intéresse le recruteur et non une série de fonctions.

→ Si vous avez un long passé professionnel, ne développez que vos responsabilités les plus récentes.

→ Si vous souhaitez présenter une de vos fonctions en détail, faites-le en annexe. Mais n'abusez pas du procédé. Ne donnez pas un CV en accordéon.

Votre CV est un concentré du meilleur de votre vie professionnelle

Rien ne vous oblige à inclure des informations qui pourraient vous porter préjudice, comme un échec professionnel ou un handicap physique éventuels. Omettre certains éléments de votre passé ou très personnels n'est pas mentir.

D'autre part, donnez le moins d'informations possible sur votre vie privée. Évitez toute allusion à votre vie familiale, ne dites rien si vous êtes divorcé ou séparé. Les préjugés ont la vie dure !

Si vous pensez que votre âge est un handicap, contentez-vous d'indiquer votre nom au début du CV, et mentionnez votre date de naissance à la fin, dans une rubrique Divers.

En conclusion de ce point, je me souviens d'un chercheur d'emploi, cadre senior, qui se faisait adresser les CV des membres de son groupe de recherche (APEC) pour juger de leur faculté d'éveiller l'intérêt. Le résultat de son travail fut un CV personnel extraordinairement intéressant, je dirais presque captivant. Il fut reçu, je crois, à la quasi-totalité des entretiens qu'il sollicitait.

2. Un bon CV doit être cohérent avec vos objectifs et votre démarche

On doit savoir en un temps record ce que vous savez faire et ce que vous voulez faire.

Ne décrivez pas dans le détail les entreprises dans lesquelles vous avez travaillé.

Souvenez-vous que toutes vos expériences professionnelles ne sont pas nécessairement en rapport avec le poste que vous visez.

Précisez vos objectifs

Annoncez d'emblée que vous recherchez un poste précis. Choisissez des objectifs simples : analyste, chef comptable, représentant...

Toutefois, si vous adressez une candidature spontanée, vous risquez, en étant trop pointu, de vous couper d'un certain nombre de possibilités. Contournez cette difficulté en faisant figurer en tête de votre CV un court résumé de votre« identité professionnelle » qui vous définit en conservant à votre candidature toute ouverture éventuelle.

Mettez en relief l'expérience qui correspond au poste

S'il s'agit d'un poste commercial par exemple, et que vous avez occupé deux emplois dans ce domaine, il peut être intéressant de les lister séparément dans une rubrique titrée Expérience commerciale. Vous pouvez alors regrouper les autres postes que vous avez occupés sous une rubrique Autres expériences.

Il existe, d'autre part, des éléments différents de celui-ci qui créent un parallèle entre votre expérience professionnelle passée et votre employeur potentiel : entreprise de même taille, de même activité ou d'activités complémentaires ou connexes; mêmes culture, région, technologie, organisation; mêmes types de distribution, de problèmes ; mêmes clients ou fournisseurs ; ayant les mêmes projets de développement, etc. Mentionnez-les.

Ne cherchez pas à mentir

Mentir ou tricher, gonfler ses résultats, s'inventer des expériences, est stupide. Le recruteur a des moyens de s'en apercevoir tôt ou tard. De plus, il est probable que vous ne trouverez pas en vous toute la volonté alors nécessaire pour appuyer votre argumentation. C'est donc du temps perdu.

Votre CV vous vend, vous-même, vos compétences, vos ambitions. Restez vrai.

Soyez cohérent aussi dans votre démarche

Certains chercheurs d'emploi rédigent chaque fois leur CV en fonction de l'opportunité qui s'offre à eux. Cette méthode est déconseillée si vous prospectez dans le même secteur et pour un même type de poste.

Il est préférable d'adapter, chaque fois, la lettre d'accompagnement au profil du poste et aux besoins de l'entreprise.

Mais n'hésitez pas, évidemment, à améliorer votre CV si vous en éprouvez le besoin.

Cependant, sachez que les informations contenues dans votre CV, de même que la présentation que vous avez adoptée, influeront peu ou prou sur les questions qui vous seront posées lors de l'entretien. Le mieux est de vous y préparer en imaginant lesdites questions et les meilleures réponses que vous pourrez donner.

Dans tous les autres cas, modulez votre CV : un par secteur ou par type de poste. Adaptez la lettre d'accompagnement.

3. Un bon CV est factuel, crédible, et donne des résultats

Votre CV doit montrer de manière claire, concrète et précise, les résultats que vous avez obtenus. Ainsi, si vous avez été chef d'équipe, vous devez préciser, par exemple :

J'ai pris ce poste pour redynamiser une équipe de production vieillissante et peu motivée. J'ai recruté, formé, géré et motivé une équipe de quinze ouvriers. Le résultat fut une augmentation de 13 % de la productivité en un an.

Lorsque vous décrivez un poste ou une fonction, ne donnez pas un état, cherchez plutôt à exprimer un mouvement.

Exemples

Ne dites pas…

J'ai travaillé au changement d'un catalogue de VPC

Dites…

J'ai repris la conception du catalogue VPC en faisant passer le nombre de produits blancs de 16 à 9, tout en donnant une image de grande technicité, ainsi que de confort.

Ne dites pas...

... chargé de veille juridique et de recherche juris- prudencielle

Dites...

J'ai ainsi enrichi la base jurisprudencielle de près de 8 000 arrêts européens, en l'espace de 24 mois.

Ne donnez pas tous vos résultats. Sachez doser vos effets : votre intention est d'amener votre lecteur au désir d'en savoir davantage.

4. Un bon CV doit permettre de reconstituer logiquement votre itinéraire

Votre CV retrace votre itinéraire, et doit exploiter, en lui-même, tous les moyens de favoriser l'émergence de points hors du commun.

Nous avons tous connu des expériences peu banales, qu'il est bon de mentionner – sans négliger la nécessité de leur cohérence avec votre projet.

Ces expériences vont donner du piment à votre pro- fil, avec la volonté d'atteindre le même objectif final : donner l'envie d'en savoir plus.

Mettre en valeur votre expérience professionnelle, tel doit être le mot d'ordre.

→ **Il est hors de question de choisir :**

– **un CV chronologique si vous avez changé plusieurs fois d'employeur,**

– **un CV fonctionnel si vous occupez la même fonction depuis quinze ans.**

Dans tous les cas, il est primordial que la cohérence de votre carrière ressorte clairement.

Construisez cette cohérence. Exprimez-la. Et faites en sorte que le lecteur puisse identifier et valider votre expérience.

Si votre carrière a connu beaucoup d'aller-retour, faites un CV fonctionnel vous permettant de vous concentrer non sur le cheminement, mais sur l'acquis, au jour de son écriture.

C'est ainsi, nous le verrons plus loin, qu'un CV fonctionnel est un CV très personnel, agissant comme un bilan, une photographie instantanée.

Vous dites à votre interlocuteur :« Voilà qui je suis, je vous l'affirme ».

Un CV chronologique est un CV qui privilégie l'expérience et l'enchaînement des étapes de votre parcours. Il laisse davantage en retrait votre personnalité.

Vous dites à votre interlocuteur :« Vous pouvez voir à travers mes fonctions qui je suis; mes différents passages chez les employeurs nommés peuvent vous en apporter la preuve ».

Ces deux approches présentent une notable différence.

5. Un bon CV est bien présenté, vif dans ses propos

La présentation, sans la moindre faute, est fondamentale.

Des professionnels du recrutement ont émis ces quelques remarques :

« *C'est pour moi un aspect majeur. Le premier en tout cas dans le processus de recrutement...* »

« *...Une tache sur le CV et le courrier part sur la pile de gauche.* »

« *...En dessous de 80 grammes* (épaisseur du papier, NDLE), *je pense que le candidat ne considère pas mon exigence de tenue, ou qu'il estime que la société ne fait pas attention à ces choses-là dans la vie quotidienne, ou bien qu'il est par trop économe. De toute façon, je ne retiens pas le CV.* »

« *...J'élimine tous les CV qui ne sont pas mis en page sur traitement de texte. Pour moi, dans ce domaine, c'est comme si le candidat n'avait pas le téléphone.* »

« *Au bout de trois fautes, le CV a pris la direction du panier. Quand je passe la barre des 300 KF, je n'en laisse plus passer aucune.* »

« *J'ai cinq critères immédiats : CV mal photocopié, CV mal plié, photo de mauvaise qualité, enveloppe de petite taille, papier de mauvaise qualité. Au premier de ces critères, j'ai déjà un a priori négatif...* »

Les recommandations sur l'indispensable qualité qui préside à l'élaboration de votre lettre d'accompagnement sont incontournables en ce qui concerne votre CV.

Il vous faut absolument :

> – utiliser un traitement de texte, si possible un micro-ordinateur ;
>
> – choisir un papier blanc uni de qualité supérieure, grammage 80, dimensions 21 × 29,7 cm ;
>
> – rester sobre, en évitant les polices de caractères tarabiscotées, les mélanges trop riches et les surcharges en gras, soulignés, ou autres ;
>
> – faire une chasse impitoyable aux fautes d'orthographe et de syntaxe.

➜ **Faites un CV tonique. Le CV gagnant montre votre expérience et vos résultats, votre compétence et votre dynamisme. Il met l'accent sur vos points forts, il insiste sur votre potentiel. Il dégage une énergie communicative, une tonicité évidente.**

➜ **Utilisez des mots qui suggèrent l'action pour mettre en valeur vos réalisations (voir chapitre suivant).**

➜ **Optimisez la présentation : utilisez les différents types de caractères à bon escient, aérez le texte, soignez l'impression.**

6. Votre CV n'a qu'un seul but : donner envie de vous rencontrer

Pour tordre le cou, une fois pour toutes, aux idées fausses...

Les rédacteurs professionnels de CV ne peuvent pas faire le vôtre.

De nombreux cabinets de conseil en carrière et en outplacement sont à votre disposition. De même que les conseillers de l'APEC. Consultez-les.

Mais ne laissez à personne le soin de rédiger votre CV.

Ces professionnels ne vous vendent qu'une mise en page de bonne qualité, qu'on pourrait aussi bien utiliser pour présenter le programme d'un colloque que pour vanter les réussites d'un traitement médical.

Bannissez les officines de mise en page et d'édition. Ne cédez pas au chant des sirènes des services du minitel et autres 3617 dispendieux.

Et souvenez-vous : vous ne pourrez jamais défendre un CV qui n'aura pas été conçu, imaginé, construit par vous.

...Parce que votre CV, c'est vous

LE DG A FAIT APPEL À UN EXPERT EN ÉTHIQUE POUR NOUS AIDER À DISSIPER CERTAINES ZONES D'OMBRE.

Le CV est une chose très personnelle. Il est le reflet de qui vous êtes, et vous seul pouvez le« sentir de l'intérieur ». D'ailleurs, le fait de le rédiger vous-même vous préparera aux entretiens.

- Imaginez-vous recevant votre propre CV. Aurez-vous envie d'examiner un CV terne, confus dans sa présentation, sans aucune information remarquable ou originale ? Surtout si des centaines d'autres s'empilent sur votre bureau ?

Tout, dans votre CV, doit être impeccable et attrayant :

- l'enveloppe qui le contient et les inscriptions qu'elle porte,

- la présentation esthétique et limpide du texte,

- le style et le choix des mots.

- Donnez-vous tous les moyens de retenir votre lecteur, de capter son attention. Il faut qu'il considère que cela vaut la peine de vous accorder un entretien.

Pour cela, il faut que :

- vous sachiez vous vendre,

- vous ayez quelque chose à vendre.

N'oubliez pas que la question qui préoccupe votre futur employeur est :« Où est mon bénéfice ? ».

C'est moins ce que vous avez été, c'est moins les postes que vous avez occupés et les responsabilités que vous avez eues qui l'intéressent, que ce que vous pouvez apporter à l'entreprise.

Il attend de vous que vous soyez capable de trouver des solutions aux besoins de l'entreprise pour augmenter sa rentabilité.

Quand vous construisez et rédigez votre CV, posez-vous sans cesse cette question, en priorité.

→ **Vous donnerez envie de vous rencontrer si votre lettre d'accompagnement est intéressante : si la lettre est habile, on lira votre CV. Si celui-ci est alléchant, on cherchera à en savoir plus.**

→ **Donnez l'idée que vous êtes« riche » : sous-entendez parfois, ne dites jamais tout. Imaginez la carte et la devanture d'un restaurant : ceux-ci doivent rassurer sur la rencontre future, et faire rêver aux promesses suggérées.**

→ **Forcez le destin : ne vous dites pas que vous n'êtes pas« disponible » pour un recrutement, dites-vous que vous êtes« incontournable » dans le cadre de ce recrutement. Nous avons remarqué la réussite des candidats animés par un tel état d'esprit.**

→ **Un point pour moduler votre envie d'« arracher » un entretien par tous les moyens : demandez-vous toujours ce que recherche l'entreprise.**

Les erreurs qu'un recruteur ne pardonne plus aujourd'hui

• Les fautes de syntaxe, d'orthographe, les impropriétés

• Les imprécisions

• Les redondances, les longueurs, les banalités ou l'abondance de détails

• Les formules pompeuses

• Les« j'ai tout fait », « je sais tout », « je suis bourré de talent, votre société recherche des compétences, engagez-moi. »

• Les fantaisies et les présentations m'as-tu-vu

• Le mauvais goût

• La mise en avant des échecs

• Les coordonnées manquantes

• L'absence de résultats chiffrés

• Le défaut de suite logique des expériences

• Les trous chronologiques

• L'absence de liens sur le CV Internet.

2 • LA CONSTRUCTION DES DIFFÉRENTS TYPES DE CV

Au risque de nous répéter, il faut insister sur l'importance de la clarification des objectifs ; pas de bon CV sans objectifs, et pas d'objectifs sans bilan.

Aussi, prenez le temps de travailler sur cet aspect fondamental de votre démarche, qui conditionne la véritable réussite de votre recherche, qui rend tout simplement votre CV lisible.

Avant de commencer directement cette partie, celle qui va vous faire entrer directement dans le vif du sujet, revenez à la Première Partie de cet ouvrage, et posez-vous sincèrement les questions nécessaires. Une fois ce travail accompli, la rédaction de votre CV apparaîtra de façon limpide et vous sera très facilitée.

Votre projet professionnel – votre itinéraire – doit donc apparaître clairement dans votre CV pour lui donner relief et cohérence.

Il doit apparaître comme le résultat d'une volonté de votre part, d'un choix, et non comme un fait subi. Il ne faut à aucun prix en donner une image chaotique, désordonnée, ou la sensation qu'on ne le maîtrise pas.

Vous devez concevoir votre CV comme une continuité, sans laisser place aux trous ni aux faux pas. De plus, votre carrière doit être en progression constante. Un bon CV s'aligne sur tous ces impératifs. Il apporte une réponse appropriée.

La structure du CV est ainsi de la plus extrême importance.

Vous ne devez pas vous tromper lorsque vous choisissez entre CV chronologique, fonctionnel, chrono-fonctionnel et sectoriel. Nous vous conseillons fermement d'adopter un de ces types pour construire le vôtre.

Ce n'est pas la création d'un nouveau genre de CV qui fera qu'on vous remarque, mais ce que vous aurez mis dedans.

Il existe enfin un autre genre de CV, apparu plus récemment, qui n'est pas à proprement parler un nouveau type de CV, mais plutôt une nouvelle forme de présentation : il s'agit du CV« deux temps », dont nous vous proposons un exemple en fin de chapitre.

C'est ce que nous allons voir dans les pages suivantes.

1. *Le CV chronologique*

C'est le CV le plus traditionnel, le plus classique, le plus utilisé. Il est conseillé dans la majorité des cas. Cela ne signifie ni qu'il soit impératif ni qu'il soit adapté au vôtre.

Ce CV remonte le temps : il commence par le dernier emploi occupé pour se terminer par le tout premier, celui que vous avez eu à votre entrée dans la vie active. Les expériences les plus récentes doivent être davantage développées que les plus anciennes. Les tout premiers emplois tiendront sur quelques lignes.

NB. Il est impératif de respecter cet ordre.

Avantages

Ce type de CV est recommandé si le poste est dans la logique de votre projet professionnel, c'est-à-dire de votre activité, de votre itinéraire.

Il est parfait pour :

- ceux qui n'ont pas changé trop souvent d'entreprise,

- ceux qui ne sont pas restés trop longtemps sans emploi,

- souligner une progression professionnelle,

- faciliter la tâche du recruteur, qui l'utilise comme un guide pour comprendre votre parcours et, lors de l'entretien, poser des questions.

Le recruteur accordera une importance particulière aux postes les plus récents. Donnez-leur corps en mentionnant le plus grand nombre possible de responsabilités et de réalisations dans votre dernier poste, et deux au moins dans l'avant-dernier.

Inconvénients

La présentation chronologique fait ressortir le manque d'expérience dans le nouveau secteur abordé.

Il est déconseillé :

> – aux jeunes diplômés qui n'ont pas de biographie professionnelle,
>
> – à ceux qui veulent changer de carrière,
>
> – à ceux qui ont une carrière en dents de scie, et sont passés par plusieurs métiers, ou plusieurs qualifications.

Exemple →

Le CV chronologique

Philippe ADLER
27 rue de Vienne
69003 LYON
Tél. 04 78 34 23 0X
44 ans

Expérience

Depuis juin 1994 – Directeur commercial ARIANES-PACE

Chef de zone internationale

• Création et développement de la zone Afrique – Moyen-Orient

• Recrutement des correspondants locaux (16 pays)

• Négociation des contrats de lancement de satellites :
– 6 contrats signés (2 lancements, 1 échec, 3 programmés),
– 26 projets sur 8 phases, CA : 2 MdF.

• Relation clientèle et institutionnelle

• Montage RP sur sites de lancement

Délégué de zone Moyen-Orient

• Expatriation Israël (2 ans)

• Développement clientèle sur le Moyen-Orient (2 contrats signés)

• Ouverture des négociations turques

1988-1994 – SIP (propulseurs)

Responsable des relations institutionnelles

• Négociation des contrats d'État : contrats-recherche
– CNES,
– CNRS,
– ESA.

$\rightarrow$

- J'ai, à ce titre, remis à plat toute la pratique contractuelle :
  - élaboration du cadre juridique européen,
  - négociation des protocoles,
  - préparation des dossiers de négociation des contrats d'État.

Ce système est encore en vigueur aujourd'hui.

ENSAR – Lyon 1983-1988 – Ecole d'aéronautique appliquée

Responsable département

- Communication et relations extérieures
- Élaboration et gestion de la politique de communication de l'école
- Chargé de la promotion de l'école en France et à l'étranger

J'ai organisé les grands forums AERO-BUSINESS (pendant 3 ans) : 2 500 participants; budget : 25 MF.

1979-1983 – AIR NORMANDIE Londres

Chef d'agence commerciale

- Gestion de l'équipe (6 personnes) et des objectifs commerciaux
- Je suis entré dans une agence moribonde (moins 36 % des résultats escomptés).
- Depuis ma prise en main (1980) : CA multiplié par 2, 1 commercial recruté, image de la compagnie améliorée.

FORMATION

- ENSAR ingénieur aéronautique 1978 (Lyon)
- SWERT (Londres 1979) diplômé communication commerciale
- DEUG Sciences Lyon II
- Bac C 1974.

- Bilingue anglais-français
- Notions d'arabe
- Passionné de micro-informatique.

Commentaire

Le poste recherché est celui de directeur commercial de zone pour un grand constructeur d'avions.

Ce CV remonte le temps. Il est facile à lire. Le recruteur saura à quoi s'en tenir. Comme l'expérience de P. Adler est en adéquation avec le profil proposé, ce CV est approprié.

Remarquez sa présentation : les titres, les chapeaux, les postes suivis de leurs descriptifs en quelques phrases.

2. Le CV fonctionnel

C'est le CV des touche-à-tout, ceux qui passent d'une entreprise à une autre sans s'attacher durablement. C'est aussi le CV de ceux qui ont connu une période d'inactivité.

Il est conseillé :

- aux candidats qui souhaitent changer de carrière,

- à ceux qui reviennent sur le marché du travail après une longue absence,

- aux professionnels plus âgés qui ont accumulé des expériences et un savoir-faire,

- aux candidats qui, au contraire, cherchent un premier emploi.

Pour réaliser ce CV, vous devez sélectionner trois ou quatre domaines fonctionnels, ainsi que vos responsabilités et réalisations, et les répartir en quelques paragraphes.

> *Exemples*
>
> *J'ai coordonné pour IBM Systems le développement de nouveaux produits pour le marché français, avec le centre de développement IBM Italie.*
>
> *Organisation pendant 4 ans d'expositions tournantes et de salons à Singapour, Manille et Hong-kong. Augmentation de 55 % du CA de la société par rapport aux années précédentes.*

Etc.

Avantages

Ce CV est parfait si vous changez complètement de secteur.

Si vos compétences et fonctions correspondent au profil du poste proposé, il attirera immédiatement l'attention.

Inconvénients

Ce CV peut déstabiliser le lecteur qu'il prive de dates et de points de repère. Il va alors se demander comment vous avez acquis ces connaissances et ce que vous souhaitez faire. Il lui faudra réfléchir, analyser ce que vous lui avez transmis. Il peut même en conclure que vous êtes instable ou que vous êtes resté longtemps sans travailler.

Vous pouvez éviter ces inconvénients en précisant les dates, et par votre lettre d'accompagnement qui informe sur l'objectif de poste ou de carrière.

Il reste qu'un tel CV peut apparaître comme un catalogue de savoir-faire. Il s'agit d'en faire un instrument pour vendre une liste de compétences qui s'appliquent tout à fait au type d'emploi recherché.

Par exemple, si vous êtes assistant contrôleur de gestion et que vous souhaitez devenir chef comptable, vous devrez mentionner dans votre CV fonctionnel le savoir-faire en expertise juridique, mais vous éliminerez votre capacité à gérer les carnets de rendez-vous de vos supérieurs.

En résumé : le CV fonctionnel est plus difficile à élaborer et à employer. Il nécessite une grande réflexion sur la sélection des expériences, la pertinence de l'articulation de leur présentation et de la cohérence de leur complémentarité. Il permet néanmoins au lecteur de mieux saisir la multiplicité des qualités d'un candidat.

Exemple →

Maurice MALTAVEL
32, rue de l'Eglise
92800 ORSAY
Tél. 01 45 63 28 0X

OBJECTIF : UNE DIRECTION
DE DEPARTEMENT FORMATION

GESTION DU PERSONNEL

- Direction du personnel de production
  (500 salariés) – Industrie lourde
- Augmentation de la qualification
- Mise en place de cercles de qualité
  (+ 5 % indice satisfaction client)

MANAGEMENT

- Direction de l'ENSI Compiègne (Espace-Automobile)
  25 professeurs, 500 élèves (3 années)
- Animation de l'équipe pédagogique, gestion budgétaire,
  relations consulaires

L'école est passée en 3 ans de la 11e à la 9e place nationale

FORMATION

- Mise sur pied d'un vaste programme devant permettre à
  1 800 OQ de retrouver une nouvelle efficacité dans la
  réorganisation de l'entreprise
- Plan et suivi sur 3 ans, 800 000 heures de formation,
  85 % de résultats

→

VENTE

- Animation d'une équipe de vente, secteur restauration à domicile
- Baisse du turn-over (65 à 55 %)
- Motivation et mise en place gestion DPO

PARCOURS

- 1995 à ce jour : MERLIN GERIN Orsay
  Directeur d'usine adjoint
- 1988 à 1995 : ENSI Compiègne
- 1985 à 1988 : USINOR Metz
  Directeur administratif
- 1982 à 1985 : Mc DONALD Tours
  Approvisionnement puis Junior manager

FORMATION

- DESS Paris-Dauphine 1982
- Anglais : bonnes connaissances
- Capitaine club de football (division Honneur).

Commentaire

Attachez-vous uniquement, pour le moment, à découvrir la structure des modèles de CV donnés dans ce chapitre.

Ce CV analytique découpe la carrière en fonction de thèmes principaux – gestion du personnel, management, formation, vente. Il fait passer la chronologie au second plan, et« annonce la couleur » par l'accroche.

3. Le CV chrono-fonctionnel

Cette formule combine les avantages du CV chronologique et du CV fonctionnel. Il permet à la fois de mettre en relief le savoir-faire et de garder la présentation traditionnelle. Bien réalisé, c'est un CV très performant, tout à fait adapté aux candidats qui ont un bon historique de succès et qui souhaitent changer d'entreprise en passant la vitesse supérieure.

Le CV chrono-fonctionnel comporte :

- ne accroche sous la forme d'un résumé de carrière,

- un détail des compétences,

- un historique des postes occupés.

Comme les autres CV, il fait état des principaux résultats (réalisations). Il est parfait pour mettre en valeur la carrière montante d'un individu.

Modèle de CV chrono-fonctionnel

Le CV chrono-fonctionnel

**Sylvain DAUTRANT
26 rue de l'Europe
67000 STRASBOURG
Tél. 03 88 32 84 0X**

OBJECTIF

Je souhaite prendre la direction d'une usine de production de biens de consommation.

COMPÉTENCES

Management

- Animation d'une unité de plus de 600 personnes (89 cadres et AM).
- Accroissement de la productivité :
  + 30 % en 5 ans.
- Gestion DPO et cercles de qualité :
  19 groupes et 540 propositions.
- Mise en place et contrôle CHSCT (accidents du travail).
- Modernisation des circuits approvisionnements et livraisons :
  + 12 % en 3 ans (augmentation rotation).

Gestion

- Mise en place contrôle de gestion sur unités jusqu'à 3 hommes.
- Amélioration gestion des ressources humaines :
  baisse de 13 % de l'absentéisme.
- 76 brevets déposés.
- Mise en place gestion IBM centralisée.

Production

- Reporting industriel devant la direction Europe du groupe (Pays-Bas).
- Mise aux normes françaises de process asiatiques.
- Maîtrise permanente des rations standards de production.
- Préparation norme ISO 9000.

→

Parcours

IKEA Meubles préfabriqués – Nancy 1987 à ce jour
650 personnes – CA : 285 MF
Directeur des approvisionnements (1987-1994)
Directeur d'usine (depuis 1994)

J'ai réorganisé la filière approvisionnement bois en négociant avec les fournisseurs locaux et étrangers (rationalisation : + 25 % de marge brute).

Planification, montage des contrats de plan.

J'ai également affronté le boycott des fournisseurs régionaux (1986) et négocié en souplesse la charte EFTB (CNPF).

En tant que directeur d'usine, j'ai mis en place le système de production que j'avais proposé à la direction du groupe : + 23 % de productivité en 2 ans. Plan de formation et de reclassement d'1/3 du personnel.

Sous ma direction, l'unité de Nancy est devenue la 1ère unité française, 4ème européenne (CA).

PLAYSKOOL (jouets) 1977-1987 – CA : 65 MF – 150 personnes

• Directeur de production

• J'ai dû gérer le changement métal/PVC au cours des années 1980-1984 : changement du parc machines – Formation – Production maintenue avec 23 % d'effectif improductif.

• Ingénieur méthodes

• Gestion des systèmes de production : produits électriques puis élaboration des moules. Deux de mes réorganisations tournent encore aujourd'hui.

Formation
• Ingénieur – Mines de Nancy 1977
• Anglais-allemand courant

Divers
• Marié – Deux enfants – Hautboïste et chef d'orchestre baroque (instruments anciens).

Commentaire

Il suffit de parcourir ce CV pour voir, en effet, qu'il combine les avantages analytiques du CV fonctionnel et les avantages chronologiques du CV traditionnel.

Encore une fois, dans votre lecture des CV de ce chapitre, attachez-vous moins à la rédaction qu'à la structure.

4. Le CV sectoriel

Ce CV présente votre expérience dans l'ordre qui répond aux souhaits de l'employeur éventuel. Il focalise l'attention du lecteur sur les compétences et l'expérience qui sont le plus en rapport avec le poste proposé, et il donne moins d'importance aux emplois qui n'appuient pas directement votre candidature.

Exemple →

Michèle DESJARDINS
264 boulevard Jules-Tassin
29000 BREST
Tél. 02 35 23 00 1X

MON DOMAINE

Tous les produits de consommation courante en provenance de la mer (alimentation, cosmétiques)

MES COMPÉTENCES

- Études des projets de pêche artisanale et industrielle
- Étude des projets aquacoles
- Gestion des contraintes techniques :
  biologie, reproduction, environnement
- Gestion des projets économiques :
  implantation, contrôle de gestion
- Analyse des systèmes industriels :
  abattage, ramassage, conservation (chaîne du froid),
  conditionnement, transport.

MON EXPÉRIENCE

- Conseil pour la Côte d'Armor (89-93) pour le développement de l'aquaculture
- Mission IFREMER au Japon (1994)
- Secrétaire général CPB à Concarneau (1994-1997)
- Conseiller technique pour Yves Rocher (Bretagne) depuis 1983
- Conseiller au ministère de la Mer.

MES RÉALISATIONS

- Réorganisation des Pêcheries générales de l'Ouest
- Études d'implantation de 3 sites d'aquaculture en Europe et 1 au Japon
- Lancement d'une nouvelle ligne de cosmétiques à base d'algues

$\rightarrow$

- Réorganisation de la Criée centrale de Sète (1993)
- Développement de Ouest-Fraîcheur (usine de conditionnement) 1985-1993.

MA FORMATION

- Agro-biologiste Agro Rennes
- DEA Gestion Nantes
- 38 ans – Mariée – 1 enfant.

5. Le CV« deux temps »

Un seul objectif : faire gagner du temps au recruteur.

Jérôme DE CHAISEMARTAIN
6, avenue du Bois
92200 Neuilly-sur-Seine
Tél. 01 46 56 77 8X

DIRECTEUR FINANCIER
General financial adviser

EXPÉRIENCE PROFESSIONNELLE

- Depuis 1993   GROUPE PIERRE & VACANCES
  « Villages vacances »
  Directeur financier

- 1985-1993   SEVOM LES ARCS (station de montagne)
  Contrôleur financier

- 1981-1985   POORS NEW YORK (agence bancaire)
  Analyste Europe

- 1978-1981   PECHINEY TRADING
  Contrôleur budgétaire et financier

FORMATION

- 1978   Diplômé de Sup de Co Reims
  Cambridge certificate
  London stock exchange certificate

DIVERS
- Marié, 4 enfants
- Né le 20 avril 1954
- Grand amateur de pêche au gros.

Commentaire

Ce nouveau type de présentation de CV, très en vogue dans les cabinets de recrutement, consiste à « ramasser » de la façon la plus courte possible les éléments fondamentaux du profil du candidat.

Cependant, plus la carrière d'un individu est riche, plus les responsabilités sont nombreuses et importantes, et plus les informations nécessaires à la bonne compréhension du suivi de carrière sont nombreuses. Il s'en suit un CV lourd et (trop) dense qui dépasse souvent les deux pages.

D'autre part, les problèmes d'emploi génèrent dans la société française une inflation vertigineuse de la correspondance. Il n'est pas rare qu'un recruteur reçoive aujourd'hui jusqu'à 500 lettres de candidatures pour un poste intéressant. Imaginez le temps nécessaire au dépouillement et à la lecture (rapide) de celles-ci. Le premier tri sera évidemment fait trop vite, mais c'est devenu la loi du genre dans de nombreux domaines.

Ce que doit contenir ce type de CV

- une courte lettre (tapée) de présentation, en une demi page ;

- un CV résumé, en une page maximum, rassemblant les 5 ou 6 éléments fondamentaux de la carrière. L'accent sera mis sur les critères immédiatement reconnaissables (notoriété de l'entreprise, qualificatif du poste) et sur la fin en valeur typographique de la page (un seul objectif : se faire remarquer) ;

• en annexe, entre 2 et 5 pages de détails et de quantifications sur la carrière. Vous pouvez suivre alors une présentation de type fonctionnel, à moins qu'une présentation chronologique soit mieux adaptée à une lecture plus fine de votre parcours. Le recruteur, ayant sélectionné le vôtre parmi 20 autres CV, aura davantage le loisir de se pencher sur votre cas. L'abondance de détails, supérieure à celle que contiennent les CV traditionnels de vos concurrents (2 pages) pourra vous être favorable.

6. *Les CV difficiles*

Un certain nombre de particularités propres à chacun peuvent rendre moins aisée l'exploitation des différentes formules de CV que nous venons d'aborder.

Il peut s'agir :

– du manque d'expérience,

– du chômage,

– d'une longue interruption de l'activité professionnelle,

– de changements de poste ou d'entreprise trop fréquents,

– d'erreurs et/ou d'échecs de carrière...

Vous « vendre ». C'est l'unique raison d'être de votre CV, quelle que soit la forme que vous avez choisie.

Il doit donc mettre en relief vos points forts : talents, motivation, adéquation de votre profil à celui recherché, etc.

Toutefois, et la chose est rassurante pour tout le monde, le candidat idéal n'existe pas. Nul n'est parfait !

Aussi, si vous vous rapprochez au mieux de la demande, ne vous affolez pas en pensant à vos points faibles. Il ne s'agira pas de mentir, car un manque d'expérience ne peut être dissimulé, et un mensonge sera finalement démasqué. Mais il existe toujours un moyen de se présenter au mieux dans des situations délicates.

• Vous n'avez pas d'expérience professionnelle

Vous êtes étudiant, ou vous décidez d'entrer dans le monde du travail après avoir élevé vos enfants : vous n'avez donc pas d'expérience professionnelle. Vous en demander serait stupide.

L'expérience dont vous ferez état pourra ne pas être strictement professionnelle. Elle existera alors au travers d'activités sportives ou artistiques… ou au travers de stages… de jobs… d'un travail associatif…

Exemples

- Association sportive
  Gestion et promotion d'une équipe

  Organisation de tournois et rencontres
  Déplacements à l'étranger, etc.

- Association culturelle ou humanitaire
  Prise de risques
  Confrontation avec des logistiques lourdes
  Gestion ou approche de budgets parfois très importants
  Opérations de communication, sponsoring, médias.

- Stages et jobs d'été
  Valorisation des petites tâches en termes d'apprentissage.

- Bénévolat
  Gestion des ressources humaines
  Gestion de stress importants.

La formation

Elle sera évidemment mise en valeur. Vous placerez cette rubrique non pas en fin de CV, comme si vous aviez une expérience professionnelle certaine, mais entre l'accroche et l'expérience professionnelle.

Cette rubrique détaillée comprendra :

• les diplômes

Vous préciserez pour chacun l'année d'obtention, le nom de établissement (si ce diplôme est complètement inconnu). Si vous avez échoué à l'examen de sortie, vous pourrez utiliser la notion de niveau. N'oubliez pas les mentions, et ne mentionnez que les diplômes les plus élevés.

• la description des travaux et mémoires réalisés pendant les études

N'oubliez pas le point de vue du recruteur, et demandez-vous toujours si le fait d'avoir co-rédigé un rapport de stage de deuxième année est fondamental dans la connaissance qu'il aura de vous.

• les compétences techniques acquises

L'informatique sera évidemment mentionnée (avec le nom des systèmes), mais également la maîtrise de machines ou systèmes techniques complexes.

• la maîtrise des langues étrangères, ainsi que la preuve de leur bonne connaissance (séjours, diplômes spécifiques)

Un conseil : ne sous-évaluez pas votre maîtrise des langues étrangères, le niveau généralement requis dans le monde des entreprises est très faible, sauf quand les fonctions recherchées exigent qu'elle soit parfaite (droit international, rapprochements techniques internationaux, négociations).

L'expérience professionnelle

En l'occurrence, elle est un peu« légère », aussi ferez-vous feu de tout bois.

• Ne négligez aucune expérience vous ayant permis d'entrer en contact avec le monde du travail

La condition pour mentionner une quelconque expérience de ce type est bien sûr qu'elle ait suffisamment d'intérêt. Pour chacune, donnez alors les dates, le nom de l'association, le poste occupé et la responsabilité assumée.

• Donnez l'information la plus valorisante

Citez les noms de l'entreprise et/ou du dirigeant les plus connus.

• Informez votre lecteur du savoir-faire que vous avez ainsi acquis.

La rubrique Divers

Apportez le plus grand soin à sa rédaction.

• Dans l'attente d'une expérience professionnelle, cette rubrique contient ce qui informe le plus sur votre personnalité, et ce qui vous« cadre » bien aux yeux de votre lecteur.

• Donnez de la valeur, de « l'affect » à ces activités qui, finalement, ont beaucoup compté dans votre vie : dites que vous avez mené à la victoire votre équipe de rugby (ou de tennis...). Mentionnez également le niveau que vous avez atteint en sport, compétition ou reconnaissance culturelle.

- Sachez que de nombreux recruteurs aiment observer attentivement cette rubrique, soit qu'elle donne, comme on l'a dit, de bons indicateurs, soit qu'elle lui permette de s'approprier avec bonheur le vécu ainsi livré : tout recruteur a ou a eu, lui aussi, des centres d'intérêt extra-professionnels.

- Autant que possible, efforcez-vous de creuser une « niche », de donner un début de piste professionnelle, c'est-à-dire suggérez à votre interlocuteur l'idée que vous n'êtes pas seulement« une page blanche » sur laquelle toute entreprise pourra écrire une histoire, qui deviendra votre histoire. Il vous faut convaincre que cette histoire a déjà commencé, même si vous n'en êtes qu'à l'avant-propos... !

Créer des niches : quelques démarches

Recensez les partenaires agissant dans l'environnement professionnel que vous visez.

- Intéressez-vous aux institutions professionnelles du métier considéré

  Pour les financiers-contrôleurs de gestion, par exemple : ordre des experts-comptables, rencontres techniques régionales, écoles de gestion (corps professoral), bureaux spécifiques des chambres de commerce, chambre régionale des comptes, etc.

- Intéressez-vous aux organes de communication qui fédèrent ou irriguent ces professions :

  Pour les métiers juridiques, par exemple : lisez ou achetez *La Lettre juridique,* les mises à jour *Dalloz,* la revue de l'ordre des avocats, les publications et notes d'information des palais de justice, les notes de liaisons européennes (Bruxelles, Bureau des Communautés), *La Revue fiduciaire* (Paris 10ᵉ).

- Relevez les noms des acteurs de cette profession en sondant les syndicats, journaux ou entreprises du secteur :

Pour les métiers de l'aéronautique, par exemple : lisez quotidiennement la rubrique des *Échos,* ainsi que la rubrique Mouvements de ce même journal, *Air & Cosmos, Aviation Magazine.* Fréquentez le Syndicat des constructeurs aéronautiques (colloques, conférences), ne manquez pas le salon du Bourget (tous les deux ans), offrez-vous même un aller-retour à Farnborought (tous les deux ans, en Grande-Bretagne, en alternance), etc.

- De façon globale, offrez-vous une consultation générale de l'AFP (Agence France Presse, PARIS 75002) sur une dizaine de mots« stratégiques » de l'univers qui vous intéresse :

Par exemple, sur une période de 6 mois, le serveur AFP vous donnera toutes les dépêches qui ont été publiées par l'agence pendant cette période et qui contiennent les mots ou les thèmes recherchés. Cette connaissance des acteurs vous sera utile même au-delà de votre CV, au cours de l'entretien de recrutement par exemple.

Établissez des fiches succintes pour chaque centre d'intérêt

Modèle de fiche (exemple : la micro-informatique professionnelle)

Entité : APPLE FRANCE

Date mise à jour : 21 mars 2000

Adresse : ZI de Courtabœuf

Les Ulis 91250

Tél. 01 43 56 78 99

Fax 01 45 67 78 89

Email applefr.@compuserve.fr

Acteurs :

Steve JOBS	PDG USA
M. Antoine DESCHAMPS	DG
Melle Michèle SURRIN	Assistante Dir. comm.
Mme Sylvie TRONVAT	Nelle DRH (depuis 01/02/00)
M. Jérôme NGUYEN	Commercial Grands comptes (vu au salon Apple expo, porte de Versailles, octobre 1999)

News :

Prochain accord IBM/Netscape sur Email (*01 Informatique,* mars 2000

Licenciements USA (*Le Monde,* 13 janvier 2000)

Nouveaux produits USB/G4 (*SVM* Mac 02/00)

Restructuration France (Comité d'entreprise, janvier 2000)

Baisse des tarifs (AFP 02/03/2000)

renouement avec les bénéfices (*Les Échos,* 21/1/00)

Performances du IBook (*PC Expert,* décembre 1999)

Chiffres :

CA :

Résultats :

Effectifs :

Vocabulaire :

Intrastructures,

fraternité humaine (Jobs, 12/12/99),

Apple structure,

plurienthousiasme.

etc.

Sans apprendre cette fiche par cœur, ce type de préparation et ce travail de synthèse vous permettront de vous remémorer rapidement les éléments clés du prospect auquel vous ferez référence ou que vous voulez toucher.

Cette fiche vous sera utile lorsque :

- vous répondrez à une annonce,

- vous ferez acte de candidature spontanée,

- vous vous préparerez à un entretien de recrutement.

Les fiches de synthèse vous seront d'un grand secours si vous décidez d'utiliser le « name dropping » dans vos lettres d'accompagnement ou, mieux, au cours de vos entretiens de recrutement.

Il s'agit d'une technique récemment répandue aux États-Unis et qui se développe en France, qui consiste à « lancer des noms » au cours d'une conversation ou d'une correspondance, noms évidemment en rapport étroit avec le sujet abordé, et patronymes célèbres ou professionnellement reconnus. La connaissance de ces noms rassure l'interlocuteur et le persuade que le candidat possède une (très) bonne maîtrise de l'environnement concerné.

À utiliser toutefois avec précaution, car les interlocuteurs français ne sont pas tous fanatiques de cette prétendue familiarité.

Partez à la rencontre des acteurs du domaine convoité

C'est la phase la plus aléatoire de votre démarche. Elle consiste à conforter à la fois votre analyse du marché (secteurs qui recrutent, choix des entreprises performantes) et à valider votre connaissance théorique des faits, chiffres et collaborations.

Pour rencontrer les individus :

- Utilisez la technique dite de réseau (voir les chapitres Stratégies et La Lettre d'accompagnement)

  À partir de relations personnelles fiables et (relativement) proches du secteur convoité, vous obtiendrez des rendez-vous « amicaux » au cours desquels vous demanderez une introduction vers le secteur précis que vous allez investir.

  En moyenne, un rendez-vous amical d'un secteur périphérique permet d'obtenir trois introductions, dont une se révèle judicieuse et correctement centrée sur le secteur convoité.

  Au cours de l'entretien, vous posez des questions sur les autres acteurs du secteur, vous récoltez des nouvelles fraîches de ce segment précis avec, en trame de fond non dévoilée à votre interlocuteur, l'information de votre disponibilité à travailler – justement – sur ce secteur. Ayez toujours avec vous un CV, mais ne le donnez que si on vous le demande.

- Devenez un pilier de toutes les manifestations, opérations de relations publiques, salons, colloques, etc. :

Rien de plus simple : faites-vous adresser la liste de ces manifestations (en général, les chambres de commerce ont une bonne connaissance des événements qui animent la vie des professions), faites-vous inviter, ou soyez culotté. Un bon conseil : déclinez votre (ancienne) position d'étudiant pour vous faire inviter en qualité d'observateur, sans devoir payer les frais de participation qui, pour les colloques professionnels, sont en général fort élevés.

En trois mois de ce régime intense, vous deviendrez un partenaire « incontournable » de la place (id est : du microcosme des individus-sans-expérience-professionnelle-qui-veulent-pénétrer-ce-secteur) : on connaîtra peu ou prou votre visage, on reconnaîtra votre nom, vous connaîtrez les toutes dernières nouvelles du secteur, et vous pourrez (presque) appeler tous les acteurs de ce marché par leur prénom !

Ce travail d'approche peut sembler long, fastidieux et par trop éloigné de la rédaction du CV. Il n'en est rien, car votre CV sera aussi le reflet de la maîtrise de votre connaissance du secteur, et n'en sera que plus efficace.

• Vous êtes au chômage

C'est une situation malheureusement trop fréquente dont vous ne devez pas avoir honte. Évidemment, cela ne veut pas dire qu'il faille mettre votre état en avant. Mais que vous ne devez en concevoir nul sentiment d'infériorité, ni d'agressivité. Se trouver en chômage est, dans le contexte actuel, quelque chose d'assez naturel. Une malchance !

Se présenter comme chômeur ne constitue pas le meilleur moyen d'obtenir un rendez-vous. Car cela équivaut, somme toute, à se plaindre de sa malchance. Et à raconter sa vie. Or, vous n'êtes là ni pour apitoyer votre interlocuteur, ni même pour lui demander une faveur.

N'oubliez pas, encore une fois, que vous proposez une solution à l'entreprise. Votre interlocuteur ne se pose que l'unique question de savoir quel bénéfice éventuel vous apportez à celle qu'il représente. Et si vos qualités humaines constituent un facteur, parmi d'autres, ce sont celles d'un individu dynamique. De quelqu'un qui veut gagner. Et qui en est capable.

Si vous êtes au chômage, conservez le rythme qui était le vôtre lorsque vous étiez en activité. Et gardez la forme par des exercices physiques, une alimentation saine et régulière, etc.
Planifiez vos recherches et vos rendez-vous. Confectionnez un fichier Entreprises et un autre Relations utiles, etc.
Et surtout, ne relâchez pas la pression tant que vous n'aurez pas trouvé un emploi. Vous êtes en recherche active.

Considérez-vous vous-même comme une PME et agissez comme telle.

Certains recruteurs recommandent aux personnes sans emploi de faire imprimer des cartes professionnelles avec leur ex-fonction, leur adresse et leur numéro de téléphone. Celui-ci sera relié à un répondeur. C'est une bonne solution, surtout valable au début de votre recherche, si vous n'êtes pas conduit à faire une réévaluation de vos compétences pour vous accorder au marché de l'emploi et à ses nouvelles exigences.

Signalons, d'autre part, que des cadres en recherche active depuis un certain temps s'intitulent pour l'occasion Consultant indépendant, Conseil en..., etc. Cette solution est bonne également, à la condition que vous puissiez fonder vos affirmations sur des réalisations concrètes dans ce domaine.

Si vous rédigez votre CV à la fin de l'année 2000 ou au début 2001, après un an d'inactivité, et que vous travailliez depuis 1991, qualifiez simplement votre poste de la période 1991-2000. Tout autre commentaire est superflu !

• **Vous avez longuement interrompu votre activité professionnelle**

Ce libre choix n'est pas encore pleinement accepté par la société.

Pourtant, vous avez vos raisons et elles n'appartiennent qu'à vous ! Nous vous conseillons d'assumer tranquillement ce « trou ».

Précisez par exemple :

1990-1998 – Période consacrée à l'éducation de mes enfants.

Pendant ces 6 années :

– j'ai pris des cours de russe,

– j'ai organisé les rencontres départementales en faveur de l'Enfance handicapée (1 200 participants, 2 MF récoltés).

Montrez, comme dans l'exemple ci-dessus, que loin de l'entreprise, vous ne l'avez pas oubliée cependant. Vous êtes resté(e) actif(ve).

• Le CV au féminin

Ce n'est pas à proprement parler un CV difficile. Nous l'avons inséré dans ce chapitre car il y a encore malheureusement des spécificités à une carrière féminine qui posent parfois problème. En attendant que la modernité vienne à bout de 5 000 ans de culture machiste, voici quelques réponses aux principales questions qu'évoquent certaines carrières de femmes :

• la discrimination

Sachez que la loi interdit la discrimination liée au sexe, comme à la religion ou à la couleur de la peau. Néanmoins, certaines allusions sont sous-jacentes au cours d'entretiens individuels.

Un conseil : si un recruteur s'engage dans la voie de la discrimination, répondez-lui en lui rappelant cette loi fondamentale, et préférez autant que faire se peut une collaboration avec une autre entreprise. La première, à l'usage, se révèlera de toute façon extrêmement rétrograde, au climat délétère.

• les enfants

Même si l'existence d'enfants est un sujet qui n'interfère a priori en rien dans l'évaluation d'une candidature, nous conseillons de mentionner leur existence, ne serait-ce que pour anticiper une interrogation ou un souci légitime concernant votre disponibilité.

Retournez une éventuelle interrogation à votre avantage : « Avoir des enfants signifie qu'on est très bien organisée et efficace. Vous pouvez être sûr, Monsieur, si je suis mère de quatre enfants, de ma capacité à gérer des problèmes compliqués et multiples. »

• le mariage, et pas d'enfant

La question brûle certainement les lèvres du recruteur. S'il pense que la candidate désire avoir des enfants, il hésitera à préjuger de sa disponibilité. Le mieux est de ne rien mentionner dans le CV, et de répondre éventuellement à une question orale par un trait d'humour : « Je ne vois pas ce que cela change, qu'on soit un homme ou une femme, mais sachez, si vous éprouviez le besoin d'être rassuré, qu'il s'agit avant tout d'une question d'organisation. »

• sur l'éventualité de suivre ou non son mari

À ce genre de question, qui est davantage du ressort de l'entretien, on peut apporter les réponses suivantes : « La mobilité de chacun est de nos jours indispensable », ou bien « Il s'agit d'une décision importante, qui nous concerne chacun dans notre couple. Avant de prendre cette décision, il est évident que nous en parlerions ensemble », ou bien « Le problème n'est-il pas surtout d'assurer la succession à un poste ou une fonction ? »

• la rémunération

Statistiquement, les femmes sont en France, à qualification et travail égaux, payées environ 25 % moins cher que les hommes. La réponse évidente à une proposition de sous-paiement réside dans le rappel des prix du marché (voir notre Argus des salaires 1998, en Première Partie), ainsi que dans l'affirmation à votre contradicteur que le salaire rémunère exclusivement la compétence.

• le travail féminin

Cette affirmation n'existe pas, excepté pour certains travaux demandant énormément de force physique. On pourra rétorquer qu'avant d'être pratiqués par des femmes, de nombreux travaux étaient considérés comme leur étant inaccessibles (conducteur de bus, médecin, ministre, etc.).

• le charisme et l'autorité

Ces deux valeurs sont recherchées et appréciées dans le monde du travail. Les objections sont facilement réfutables grâce à de nombreux exemples (femmes connues, vie personnelle), et à l'affirmation que l'autorité virile n'est pas la meilleure des autorités, en tout cas moins efficace que l'autorité liée à la compétence.

En tout état de cause, les mentions spécifiques à la féminité au sein des entreprises, si celles-ci s'avèrent discriminatoires, peuvent être sanctionnées. Les candidates ayant eu à subir provocation sexiste ou harcèlement sexuel de la part d'un recruteur peuvent saisir la CNIL :

Commission nationale de l'informatique et des libertés 21, rue Saint-Guillaume 75340 PARIS
Tél. 01 45 48 39 39.

• Vous avez trop fréquemment changé de poste ou d'entreprise

Les candidats qui papillonnent d'une entreprise à l'autre sont mal considérés. Que peuvent-ils avoir appris ? Que peuvent-ils avoir réalisé en si peu de temps ? On ne peut pas croire en leurs acquis, il se dégage de la lecture de leur CV une impression de vide.

Sachant que les recruteurs se réfèrent à la règle de la durée minimale de présence communément admise – 3 ans à 30 ans, 4 à 40, 5 à 50 – il vous faudra adopter obligatoirement un CV fonctionnel ou chrono-fonctionnel.

Quoi qu'il en soit, n'oubliez pas de faire en sorte qu'une ligne directrice apparaisse clairement à la lecture de votre CV.

• Vous vous êtes trompé de chemin

Il peut arriver qu'à un moment ou à un autre de votre carrière, vous ayez accepté un poste et que vous vous soyez alors manifestement trompé. Cela est acceptable avant 40 ans ; après, c'est ennuyeux !

Supprimez carrément cette période de votre CV, si elle n'a pas duré plus de deux ans. Vous aurez l'occasion de l'évoquer lors de l'entretien. Si vous êtes coutumier du fait, adoptez un CV fonctionnel.

Le parcours des CV

La crise de l'emploi a eu une conséquence immédiate sur le travail des recruteurs : il s'est accru de façon fantastique, et ce n'est pas la récente embellie de l'emploi qui stoppera ce phénomène.

Qu'on en juge au vu du nombre de candidatures reçues par :

- Peugeot : 17 000
  26 000 en incluant les demandes de stage et de coopération à l'étranger
- Lyonnaise des eaux : 14 000
- Mc Kinsey : 3 500
- L'Oréal : 22 000.

Pour faire face à cet afflux, les entreprises se sont organisées.

Tout d'abord, le traitement des tâches s'est singulièrement taylorisé : ouverture des enveloppes, dépouillement, préparation des dossiers, tri, évaluation, suivi du dossier (réponse positive, mise en attente ou réponse négative), édition, mise sous pli et expédition des réponses. À ce stade, la proportion moyenne de candidatures spontanées retenues tourne autour de 20 %.

D'autre part, compte tenu de la mobilisation des ressources humaines nécessaires à l'exécution de ces tâches, de plus en plus d'entreprises ont tendances à « externaliser » ces fonctions. Ainsi a-t-on vu apparaître sur le marché des sociétés de service proposant un service « clé en main » et modulable de réponse aux candidatures : de l'ouverture des plis à l'expédition du courrier, toutes les tâches sont envisageables par ces sociétés qui connaissent des taux de croissance... enviables ! Tri selon des critères précis, réponses, constitution de dossiers, inscription sur fichier de toutes les candidatures.

Ainsi, beaucoup de grandes entreprises bénéficient-elles d'un service leur permettant, à distance et par réseau, de connaître à l'instant T le nombre de candidatures reçues, leur qualité, leur fraîcheur, etc.

Ce vivier entretenu en temps réel se révèle, aux dires des utilisateurs (les recruteurs), d'une formidable souplesse et d'une grande efficacité pour la gestion de l'entreprise.

Pour les candidats, cet état de fait n'est pas sans conséquence :

– les CV, de plus en plus numérisés sur des bases de données, sont triés selon des critères de recherche. Alors, attention à la clarté des découpages de votre parcours, à la pertinence du choix fonctionnel, chronologique, etc.

- être sélectionné dans l'avalanche des CV relève de plus en plus du parcours du combattant. Donc, soignez particulièrement votre lettre d'accompagnement, ne transigez en aucune manière sur la qualité, la précision et la sobriété de votre correspondance.

Repères

Quelques entreprises qui sous-traitent la gestion des candidatures spontanées : Lyonnaise des eaux, Total, IBM, L'Oréal, Colgate-Palmolive, Andersen Consulting, Rank Xerox.

Un cabinet qui pratique la gestion informatisée des candidatures :
ORC
78 boulevard de la République, 92100 Boulogne-Billancourt
Tél. 01 47 61 58 00.

3 • RÉDACTION, MISE EN PAGE, RÉALISATION ET ENVOI : VOTRE CV LIGNE PAR LIGNE

Vous avez établi vos bilans – professionnel et personnel. Y avez réfléchi. Défini votre objectif. Choisi le type de CV qui doit vous mettre le mieux en valeur.

Vous êtes prêt…

Prenez maintenant le temps de lire les pages qui suivent.

Si vous rédigez un CV chronologique

Suivez pas à pas la méthode ci-dessous, analysée en 10 points.

1. Vos coordonnées

Faites figurer, en haut à gauche, en gras et dans l'ordre :

• votre prénom puis votre nom, en capitales

Si vous avez travaillé sous votre nom de jeune fille, utilisez ce dernier. Sinon, ne le mentionnez pas.

- votre âge

Si vous avez déjà un certain âge, faites-le figurer à la fin de votre CV, à la rubrique Divers.

- votre adresse

Indiquez le nom de la voie, précédée du numéro, suivie de celui de l'arrondissement ou du département, enfin du nom de la ville.

- votre numéro de téléphone au bureau

- votre numéro de téléphone personnel ou votre numéro de portable.

Nous préconisons d'indiquer un numéro professionnel, dans la mesure du possible. Les recruteurs professionnels sont toujours discrets lorsqu'ils vous contactent sur votre lieu de travail, et vous n'avez pas à craindre d'être appelé à votre bureau. Si vous n'avez pas (plus) de bureau, vous pouvez faire installer une deuxième ligne équipée d'un répondeur.

2. *Votre objectif*

La rubrique Objectif de votre CV ne sera pas la même selon que vous vous trouvez dans le cas d'une candidature spontanée ou dans celui d'une réponse à une annonce.

- En cas de candidature spontanée

Il vaut mieux balayer large. Ce qui ne signifie évidemment pas qu'il faille être flou, imprécis.

Exemple

Objectif : Fonctions marketing opérationnelles

• En cas de réponse à une annonce

Votre objectif sera plus précis. Vous mentionnerez également le poste visé.

Exemple

Objectif : Chef d'agence personnel intérimaire

Quoi qu'il en soit, soyez toujours bref, ne vous exprimez pas en plus de deux phrases, et attachez-vous à montrer ce que vous pouvez apporter à l'entreprise.

3. L'accroche

Elle n'est pas obligatoire.

Sachez seulement que si vous l'utilisez, ce slogan doit impérativement être court (une à deux phrases) et très bien « tourné ».

Nous la conseillons systématiquement, car elle permet de repérer rapidement un CV parmi d'autres, et de le juger tout aussi rapidement.

➜ **Utilisez des termes actifs, une phrase sobre.**

➜ **Rejetez les tournures publicitaires, les titres ronflants.**

Voici quelques accroches dont vous pouvez vous inspirer :

BANQUE – CONSEILLER COMMERCIAL
Une expérience de 6 ans dans les produits finan-
ciers. Sélection clientèle. Gestion des portefeuilles
clients. Formation aux techniques de vente.

PUPITREUR – PROGRAMMEUR
Spécialiste BASIC sur moyens et gros systèmes.
Très bonne capacité d'intégration et expérience
multi-secteurs.

RESPONSABLE TECHNICO-COMMERCIAL
Gestion d'équipe terrain ou mercenaire solo. J'aime
vendre tous les produits et tenter les paris impossibles.

INGÉNIEUR CHEF DE PROJET
Montage d'unités de production industrie lourde.
Diagnostic – Études – Préconisations. Compétences
de gestion d'exploitations.

MARKETING SENIOR
18 ans d'expérience chez Unilever et Nestlé pour la
pénétration de nouveaux marchés. Europe entière.

CHEF D'ÉQUIPE
Management et contrôle d'équipes de techniciens
de surface sur 22 sites et de 18 nationalités.
Souplesse et détermination.

Vous pouvez, si vous le désirez, encadrer votre accroche.

Personnellement, j'aime bien les accroches assez complètes, encadrées, qui en quelques mots bien choisis indiquent :

> – la compétence première

> – l'objectif.

4. Votre savoir-faire

Faites un résumé, quand il le faut, de vos principaux savoir-faire, surtout quand votre CV n'est pas très limpide et qu'il n'expose pas immédiatement vos compétences.

C'est tout à fait valable pour les carrières marquées par des hauts et des bas ou trop disparates.

5. Votre expérience professionnelle

Sous le titre, en milieu de page, EXPÉRIENCE PROFES-SIONNELLE, listez vos expériences en remontant le temps. Vous avez noté les précédents employeurs au cours de la construction de votre CV.

Pour chaque expérience, notez à gauche les dates de début et de fin d'emploi (n'indiquez que les années). Ne mentionnez pas les trous qui font mauvais effet. Courez le risque d'occulter quelques mois ou quelques années. Si cela se remarque, on vous posera la question au cours de l'entretien, et vous aurez pu vous y préparer.

Toujours sur la même ligne que la date, mais en retrait, le titre de l'emploi et l'identification de l'entreprise : son nom, et éventuellement, si elle n'est pas connue, sa taille, son chiffre d'affaires, etc. Si cet emploi n'est pas valorisant, s'il ne marque pas une progression dans votre carrière, ne le mentionnez pas.

Décrivez brièvement les activités de l'entreprise. Faites en sorte que le recruteur puisse situer votre secteur précédent. Donnez des repères connus, cela le rassurera. Si le secteur est très étroit, précisez qu'il s'agit, par exemple, d'une « société de jeux vidéo de taille mondiale ».

6. *Vos titres, fonctions et responsabilités, réalisations et résultats*

Utilisez des termes compréhensibles par tous. On doit pouvoir identifier votre parcours au premier coup d'œil.

Mentionnez votre titre, votre fonction, puis expliquez votre (vos) responsabilité(s), principales réalisations et résultats obtenus.

- Titres et fonctions

Si un de vos titres n'est pas forcément compréhensible, traduisez-le en langage courant. Évitez de vous laisser enfermer dans un titre, rendez-le un peu flou si nécessaire.

- Responsabilités

Faites suivre titres et fonctions d'une ou deux phrases courtes et simples permettant de comprendre la nature et la hauteur de vos responsabilités, moins en termes officiels qu'en termes de capacité à résoudre les problèmes.

Ne confondez pas ces responsabilités avec un résumé de votre journée de travail.

Exemples

DIRECTEUR FINANCIER
Trésorerie. Engagements OAT et achats internationaux. Suivi des opérations boursières en liaison directe avec la présidence du groupe.

CONTRÔLEUR QUALITÉ
Rapporteur auprès des clients de la société, je vérifiais le travail de 10 équipes d'usinage (90 personnes) et modifiais autant que de besoin les charges de travail.

ACHETEUR FRAIS
Fourniture quotidienne des 24 points de consommation Ile-de-France. Négociation – Achat – Livraison, y compris gestion des stocks non utilisés.

SECRÉTAIRE DE MAIRIE, SAINT-MARIN-SUR-LOIRET
Comptes rendus de scéance. Liaison préfectorale. Agenda du maire. Gestion courante d'une commune de 2 000 habitants (y compris l'état civil).

ACHETEUR VRAC, GRANDS MOULINS DE PARIS
J'avais la responsabilité de l'équilibre budgétaire au niveau des achats : négociation, ristournes, primes.

MÉDECIN-CONSEIL – PROTOCOLE 6, LABORATOIRES VOIRON
Établissement, validation et test du protocole 6 en expérimentation animale. Rapporteur INSERM.

DIRECTEUR DE PRODUCTION, CHANNEL 4
Engagement (contrat) des artistes et responsa-
bilité budgétaire de la production exécutive sur
5 longs métrages.

• Réalisations et résultats

Ne vous pressez pas de rédiger. Réfléchissez, d'une part, à vos réalisations et, d'autre part, aux objectifs que vous vous êtes fixés. Choisissez deux ou trois réalisations par poste occupé, en vous efforçant d'être le plus bref possible. N'hésitez pas à employer éventuellement le style télégraphique.

Ne détaillez pas vos réalisations qui n'ont rien de remarquable. Au contraire, écartez-les.

Le CV chronologique présente, outre une décomposition des tâches, une valorisation des bénéfices obtenus pour l'entreprise (ces bénéfices doivent aussi figurer dans tous les autres types de CV). Cette technique de chiffrage sera détaillée plus loin.

Établissez vos résultats comme vous avez pu le faire précédemment pour vos responsabilités, en employant des mots simples et des phrases courtes et peu nombreuses.

Vous pouvez aussi indiquer votre poste. Par exemple :

Directeur informatique
Missions : ...
Résultats : ...

Formulation

Choisissez les verbes qui donnent du tonus à votre parcours.

Exemples

J'ai recherché et mis au point un procédé de lyophilisation. J'ai suivi l'installation et le contrôle de la chaîne.

J'ai négocié 3 importants contrats d'exportation pour le compte de la société L. J'ai supervisé les opérations physiques et soldé le contentieux existant.

J'ai renforcé les procédures de contrôle de qualité et fait approuver la norme ISO 9000 par les fournisseurs.

→ **Parfois, le verbe est remplacé par un substantif qui a rigoureusement la même fonction de mettre en mouvement et de préciser. Employez de préférence la forme substantive quand l'énumération est longue.**

Le bon verbe*

Accroître, administrer, adopter, améliorer, analyser, augmenter, assister, assumer, autoriser

Budgéter

Clarifier, classifier, commercialiser, composer, conceptualiser, concevoir, conclure, conduire, consolider, construire, contribuer, contrôler, convaincre, coordonner, créer

---

* Cette liste n'est évidemment pas exhaustive.

Décider, définir, déléguer, démarrer, démontrer, déterminer, développer, diminuer, diriger, distribuer

Échanger, économiser, élargir, éliminer, enquêter, entraîner, établir, étendre, être le premier à, évaluer, exécuter, expérimenter

Faciliter, finaliser, fonder, former, formuler

Gagner, générer, gérer

Identifier, initier, innover, installer, instituer, intégrer, interpréter, introduire, inventer

Lancer, licencier, livrer

Maintenir, manager, mettre en place, mettre sur pied, moderniser, motiver

Négocier

Organiser

Partager, participer à, payer, planifier, prescrire, présenter, prévoir, procurer, produire, promouvoir, proposer, prouver

Réaliser, rechercher, recommander, recruter, récupérer, redéfinir, réduire, régler, remettre en route, réorganiser, représenter, résoudre, respecter les délais, restructurer, réussir

Simplifier, suggérer, superviser, surmonter, systématiser

Tester, traduire, transférer, transformer, transmettre

Unifier

Vendre, vérifier.

Si vous rédigez en anglais...*

Archievied, accelerated, adapted, adjusted, administered, analysed, applied, approved, attained

Chaired, communicated, coordinated, conceived, conducted, completed, controlled, counseled, created

Dealt with, defined, delegated, developped, demonstrated, designed, directed

Effected, eliminated, encouraged, enlisted, established, estimated, evaluated, executed, expanded

Forecasted, founded

Generated, guided

Increased, inspected, instructed, interpreted, improved

Launched, lead, lectured

Maintened, managed, molded, motivated

Negotiated

Organized, originated

Participated, perceived, performed, persuaded, planned, produced, programmed, promoted, proposed, proved, provided, proficient

Recommended, reduced, reinforced, reported, researched, responsible for, reviewed, revised

* Cette liste n'est évidemment pas exhaustive.

Scheduled, selected, set up, solved, stimulated, structured, streamlined, succeeded, summarized, supervised, supported

Taught, trained

Up dated.

Pour figurer dans votre CV, il faut que vos réalisations répondent, notamment, aux conditions suivantes :

> – vous avez atteint pour la première fois un objectif avec les moyens à votre disposition ;
>
> – vous avez amélioré les opérations, les procédures, les relations ;
>
> – vous avez résolu des problèmes ou des conflits sans répercussions négatives sur l'entreprise.

En outre, elles doivent être explicites sur les moyens, les procédures et les méthodes.

La bonne expression

– après avoir identifié un nouveau marché

– par une action correctrice

– par un changement de procédures

– en réorganisant le département

– par une méthode encore inconnue en France

– par une méthode originale (ou personnelle, créative, simple)

– par la découverte d'une niche

– auprès d'une clientèle insoupçonnée

– en constituant un fichier original

– par l'application d'une nouvelle technique

– par une approche unique

– par une modification du temps de travail

– par des moyens motivant le personnel

– par une amélioration du travail en équipe

– par une formation adéquate

– par une nouvelle utilisation des ressources

– par une approche empirique

– sans dépenses supplémentaires

– en s'assurant du concours de la hiérarchie – ou des autres services

– par une découverte récente

– par une analyse inverse de l'analyse classique.

Un conseil

Après avoir investi dans l'achat de ce guide, nous vous conseillons vivement d'acheter également un dictionnaire des synonymes : celui-ci vous sera d'un grand secours pour rédiger votre texte avec les expressions les plus appropriées et les plus percutantes à votre goût, et ce d'autant plus que votre carrière est courte (débutants), en dents de scie (changements de métier et de qualification) ou peu qualifiée.

Vous savez maintenant présenter les actions que vous avez entreprises et les moyens que vous avez utilisés ; il s'agit donc, pour clore la rubrique de vos réalisations, de présenter concrètement vos résultats.

Chiffrage

Les critères d'évaluation des résultats changent selon les métiers.

- Les métiers commerciaux raisonnent en francs, en chiffre d'affaires, en profits, en pourcentages du marché.

- Les métiers administratifs traduisent les résultats en gain de temps et en productivité/homme.

- Les métiers de fabrication traitent des gains de productivité et sur les coûts de production.

Indiquez en chiffres et non en lettres toutes les données chiffrées, en utilisant, comme c'est l'usage, les KF.

Complétons les exemples précédents :

J'ai recherché et mis au point un procédé de lyophilisation. J'ai suivi l'installation et le contrôle de la chaîne. Gain : une période de conservation augmentée de 6 mois ; une chute des rebus de 25 %.

J'ai négocié 3 importants contrats d'exportation pour le compte de la société L. Valeur : 250 MF.

J'ai supervisé les opérations physiques (2 millions de tonnes) et soldé le contentieux existant (25 MF bloqués depuis 5 ans).

J'ai renforcé les procédures de contrôle de qualité et fait approuver la norme ISO 9000 par les fournisseurs. Résultats : baisse de l'indice de mécontentement à 12 %, et signature de 250 contrats d'engagement.

Efforcez-vous toujours d'être précis. Évitez les termes comme « a participé », « a été impliqué », « important », « bénéfice en augmentation ». Ça ne signifie pas grand-chose !

Donnez des faits, des dates, des chiffres.

Si vous évoquez une augmentation des bénéfices, indiquez le pourcentage.

Si vous avez redressé un département, donnez des chiffres. Comment voudriez-vous, sans cela, qu'on apprécie votre travail ?

En même temps, encore une fois, soyez bref.

7. *Votre formation*

Si vous êtes diplômé d'une grande école, cette information sera donnée au sommet de votre CV, à condition que vous ayez peu d'expérience. Au fur et à mesure qu'elle augmente, l'importance de votre formation s'amenuise.

Un conseil cependant : ne lâchez pas tous vos diplômes, cela fait mauvais effet, mais sélectionnez-les en adéquation – toujours – avec votre objectif et le poste recherché.

Mentionnez également les stages et séminaires ayant compté dans votre carrière.

8. *Le salaire*

N'en parlez jamais, même si on vous le demande. Vous y aurez réfléchi, et il sera temps d'y répondre le jour de l'entretien, car la question sera évidemment posée ce jour-là.

9. *Les langues*

Utilisez les formules :

> – notions d'anglais,
>
> – anglais : connaissances rudimentaires
>
> – anglais courant,
>
> – bilingue anglais-français.

10. *Divers et centres d'intérêt*

Vous placerez sous ce vocable :

> – les communications et publications : à mentionner si elles donnent un plus important à votre profil, comme cela est le cas pour les chercheurs ;
>
> – le service militaire : à mentionner si vous postulez à des emplois dans l'administration, ou si vous êtes gradé ;
>
> – les loisirs : mentionnez, comme pour les publications, les loisirs qui apportent un plus :

– les sports collectifs (esprit d'équipe),

– les échecs (concentration),

– les sports de fond (endurance),

– les activités artistiques (créativité).

Interrogez-vous toujours sur l'image que peuvent donner de vous ces informations, et rejetez les loisirs tels que la lecture, le cinéma, le restaurant entre amis, qui n'ont aucun intérêt ;

– les références : n'en faites pas état, même si elles vous sont demandées.

Le recruteur vous reprécisera sa demande au cours de l'entretien.

Si vous rédigez un CV fonctionnel ou chrono-fonctionnel

Par rapport au CV chronologique, seule la rubrique 5, celle de l'expérience professionnelle, et la place du nom de l'employeur, changent.

1. Votre expérience

La somme des informations qui s'y réfèrent sont ordonnées en deux ou trois parties qui permettent de mettre en relief vos atouts.

Exemples

Compétences et réalisations – Parcours profession-nel

Ou, plus accrocheur :

Des compétences techniques – Une évolution – Des atouts personnels

2. Vos compétences

CV fonctionnel et chrono-fonctionnel mettent en valeur les compétences, et renvoient souvent les dates, employeurs et fonctions occupées en fin de document.

Vous devez, tout d'abord, identifier vos domaines de compétence, ou vérifiez votre identification habituelle, en examinant les fonctions que vous avez occupées et les principales réalisations dont vous êtes l'auteur.

Puis, les classer par rubrique :

> – technique (production, informatique…),
>
> – administrative et financière (conseil, droit…),
>
> – managériale (formation, recrutement, direction d'entreprise…),
>
> – commerciale (vente, publicité, design…).

Il ne faut pas que leur nombre soit restreint ni trop important : trois à cinq domaines suffisent en général. Et, bien évidemment, ils doivent être cohérents avec les objectifs que vous vous êtes fixés.

Vous pouvez présenter vos compétences sous un intitulé très large.

Exemples

MANAGEMENT
Direction d'une équipe de 200 personnes. Recrutement, formation et administration. J'ai recruté et gardé 25 cadres sur les 45 que compte l'entreprise. Stabilité (+ 1,5 %) sur 2 ans, de la masse salariale.

COMMERCIAL
Élaboration des campagnes de publicité pour tout le groupe. Progression des parts de marché (+ 2 %) et de la notoriété spontanée auprès du grand public (IPSOS : 24 % des réponses, + 2 points).

Vous pouvez aussi choisir des intitulés plus précis.

Exemple

NÉGOCIATION
J'ai négocié la sortie – honorable – de la banque WORMS dans l'affaire immobilière Stratus (recouvrement de 75 % des créances).
J'interviens dans toutes les directions européennes du groupe (6 pays) pour la négociation des contrats de plan.

Les noms des employeurs, quant à eux, figurent au-dessous des compétences (sous la rubrique Parcours professionnel).

Si vous rédigez un CV sectoriel

Présentez votre expérience en fonction des souhaits du recruteur. Ce CV met en relief l'expérience la plus adéquate à celle du poste proposé, et il donne moins d'importance à celle qui n'appuie pas votre candidature.

Le modèle examiné plus loin fait réponse à une annonce offrant un poste de directeur commercial dans une entreprise spécialisée dans la fabrication de chemises pour hommes. Il est demandé au candidat une connaissance du secteur, une expérience du management et une expérience de 5 ans de contact direct avec le consommateur (vente).

Le candidat qui a rédigé ce CV ne répond pas de manière absolue à la définition du poste : il n'a jamais eu de responsabilités de manager. Son CV met donc en valeur d'autres points forts.

D'autre part, comme il s'agit d'une opportunité clairement identifiée, le candidat indique un objectif en tête de son CV.

Il n'y a pas de problème particulier de présentation pour ce type de CV.

Henri DESCOTTES
8, rue Mercière
69002 LYON
Tél. 04 78 45 66 7X

OBJECTIF : Directeur commercial

EXPÉRIENCE DANS LE DOMAINE DE LA CHEMISE POUR HOMME

Eleganzia, Lyon – 1993 à ce jour

Représentant
Attaché commercial pour le deuxième fabricant français. Seul responsable du secteur Rhône, y compris Lyon et Grenoble. J'ai établi un record de vente (2,5 MF en 1996).

Chemiso, Marseille – 1991-92

Assistant commercial
Gestion d'équipes de vente, responsable des stocks et des commandes pour le quatrième grossiste français. J'ai dirigé l'espace de vente en l'absence du responsable.

Bel' Chemise, Poitiers – 1990

Vendeur
Service aux clients et assistant dans la gestion des stocks et la comptabilité.

LANGUES ET VOYAGES
Anglais et italien courants. Voyages en Italie et en Angleterre pour rencontrer des fabricants de chemises.

FORMATION
Séminaire de management, Université de Nice
Cours de management et de marketing – été 1989.

Université de Nice
Licence de Lettres modernes – 1988.

L'écriture

L'écriture, comme toutes les disciplines, obéit à certaines règles.

Vous n'obtiendrez probablement pas la bonne formulation immédiatement. L'inspiration est rare et capricieuse. Vous devez donc, à l'instar de ceux dont c'est le métier d'écrire, travailler vos phrases, les polir.

Une phrase est bonne quand vous avez utilisé le minimum de mots pour donner le maximum d'informations sur vos compétences et réalisations, puis l'avez ciselée pour la rendre dense et dynamique.

Au début de votre travail d'écriture, lorsque vous en êtes aux brouillons, écrivez les mots comme ils viennent, même s'ils sont inadéquats. L'important est de vous exprimer.

Peu importe si vous écrivez, par exemple, dans un premier jet :

J'ai, après des efforts couronnés de succès, réussi à développer énormément les délais de paiement de la clientèle, dont une partie avait tendance à se faire tirer l'oreille...

Si, au cours d'une deuxième étape, vous précisez, rectifiez, épurez pour obtenir :

J'ai développé des rapports étroits avec la clientèle tout en réduisant de manière sensible les délais de paiement.

N'employez pas plus de vingt-cinq mots par phrase.

Ne dépassez pas deux pages. Mais cette règle ne s'applique plus si le recruteur demande d'être exhaustif sur un poste particulier, ou s'il désire avoir un dossier complet. Dans ce cas, le mieux est de faire tout de même un CV de deux pages, et d'ajouter des annexes.

Une fois que vous aurez rédigé votre CV, appliquez-lui le même principe d'économie qu'à vos phrases. Tout ce qui peut être supprimé n'a pas de raison d'être. Demandez-vous si vous ne pouvez pas supprimer des paragraphes, des phrases, des mots...

Nous réitérons notre conseil : investissez dans l'achat d'un dictionnaire des synonymes.

La relecture

Vérifiez une ultime fois :

- toutes les informations chiffrées,
- la longueur de l'accroche, des phrases, de la totalité du texte,
- la cohérence accroche/expérience/personnalité,
- le fond, au même titre que la forme,
- l'orthographe et la syntaxe,
- vos cordonnées,
- la compréhensibilité de vos titres et responsabilités.

L'impression

J'ATTENDS DE TOUT UN CHACUN UNE INITIATIVE DE « QUALITÉ ».

Reportez-vous au chapitre 1 de cette partie : La Lettre d'accompagnement.

Il est préférable de paginer un CV, mais faites-le de manière discrète : en bas de page, notez 1/2, 2/2. Vous pouvez aussi rappeler votre nom et vos coordonnées en deuxième page.

Pour assembler les pages, n'employez pas de trombone, mais agrafez dans le coin supérieur gauche.

L'envoi

Ne joignez pas de documents à votre CV. Précisez toutefois, d'une phrase, qu'ils sont à la disposition de l'enquêteur. Vous en ferez état lors de l'entretien.

N'envoyez pas non plus votre photographie, de vous-même. Ne le faites que sur demande, et dans ce cas, collez-la – un point de colle suffit – en haut et à droite de votre CV. Préférez la photo en noir et blanc, sur fond neutre, réalisée par un professionnel. Pas de photo couleur, sauf d'excellente qualité. Jamais de photo en pied. La photo ne doit ni être trop retouchée, ni sortir d'un Photomaton – ce serait cavalier, pour le moins.

N'envoyez pas votre CV par télécopie. En effet, d'une part, la réception du fax peut être mauvaise, et supprimer ou rendre illisibles certains passages ; d'autre part, le fax sera communiqué en l'état, c'est-à-dire le plus souvent sur papier thermique (50 %

des fax) qui ne se conserve pas, s'enroule sur lui-même, etc. Cela valait bien la peine d'imprimer impeccablement votre courrier !

À un candidat, rencontré tard un vendredi soir et qui me questionnait sur sa capacité d'écrire et d'envoyer pour le lundi matin un CV performant, j'ai répondu sans hésiter qu'il fallait aller déposer à l'accueil, ce lundi matin, la précieuse enveloppe !

Envoyez CV et lettre d'accompagnement dans une même enveloppe blanche, ou dont la texture et la nuance sont assorties à celles du papier à lettre. Vérifiez par téléphone les orthographes du nom du destinataire et de l'adresse. Écrivez-les à la main.

Pesez votre envoi avant d'affranchir. Toute lettre insuffisamment affranchie sera rejetée par le recruteur.

Les quelques cinquante CV qui suivent sont le fruit d'une sélection importante que j'ai réalisée au cours de ma carrière professionnelle. Ils traitent, pour chacun différemment, le même soucis, le même objectif : lisibilité, cohérence, clarté, efficacité. Ils ont tous, et c'est LA caractéristique fondamentale à mes yeux, remplis leur objectif, c'est-à-dire qu'ils ont fait mouche en permettant au candidat de décrocher LA phase numéro 2 du recrutement, à savoir l'entretien.

J'ai volontairement choisi des profils complexes comme des profils simples, des expériences fortes comme légères, des jeunes comme des séniors. Mais que l'on ait 25 ans et trois stages de 2 mois derrière soi, ou 48 et vingt années d'expérience multi-secteur, je retrouve dans ces CV la même clarté efficace, la même solide détermination, la même tranquilité déja victorieuse : j'aimerai que tous vos CV ressemblent un peu à ceux-ci !

Tous les CV qui suivent sont évidemment, pour des soucis de confidentialité, maquillés et/ou travestis. J'ai cependant gardé, sans trop le modifier, l'environnement des entreprises qui jalonne le parcours de ces candidatures, car il permet un repérage plus aisé.

J'ai enfin classé ces CV, par soucis de cohérence et de lisibilité, en quelques grandes sections techniques qui permettront au lecteur de chercher les documents les plus proches du paysage économique ou professionnel dans lequel il évolue.

Les 52 CV sont classés en 10 grands secteurs :

Etienne BLONDEL
312 rue Saint-Honoré
75002 PARIS
Tél. D. 01 48 88 22 5X
Tél. B. 01 44 35 03 0X

Né le 3 juillet 1953 (47 ans)
Marié – 3 enfants

▶ EXPERIENCE PROFESSIONNELLE

Depuis septembre 98 : GROUPE THOMSON INTERNATIONAL
Au sein de DINO, société d'ingénierie,
industrie de l'armement
(CA 150 MF, 140 personnes)

> **Directeur administratif et financier en charge
> des relations humaines.**

De 1980 à 1998 : GROUPE DANTON
*Equipementier automobile américain, au sein de DANTON SA, hol-
ding français et de sa principale filiale FLIQUAT (CA 700 MF,
3 sociétés, export 50 %, 5 usines, 1 300 personnes) –
CA 850 MF, 7 sociétés, export 47 %, 1 600 personnes.*

De 1994 à 1997 :
Directeur financier *holding et Fliquat, responsable des comptes
sociaux, de la fiscalité, du financement et de la trésorerie du groupe,
du reporting holding, membre du comité de direction, European
Lead Finance Group Member.*

Réalisations
- Filialisation de l'activité distribution (CA 250 MF, 150 per-
sonnes)
- Mise en place du cash pooling avec la Société Générale.
- Développement de l'intégration fiscale (7 sociétés);
économies 94 : 4,5 MF; 95 : 2,4 MF.
- Mise en place du comité du groupe.

De 1988 à 1994 :
Contrôleur financier *Fliquat, responsable de l'ensemble des fonctions financières, du contrôle de gestion, de l'informatique, membre
du comité de direction.*
Equipes dirigées : 20 personnes dont 4 cadres, coordination des
actions de 4 contrôleurs de gestion de division. Responsabilité
reporting US.

Réalisations
- Participation à la mise en place d'investissements industriels majeurs (unité de production : investissement 140 MF).
- Implantation de l'informatique AS 400 – IBM; développement du réseau ODETTE (liaisons informatiques avec les constructeurs automobiles européens).
- Négociations salariales annuelles.

De 1986 à 1989 :
   Contrôleur de gestion Fliquat Monopole. *Membre de l'équipe de direction. Responsable de l'établissement et du suivi des budgets (450 MF).*
   Présentation et discussion des résultats et prévisions avec la direction européenne et américaine du groupe DANTON.

De 1983 à 1986 :
   Chef des services comptables *(10 personnes), rattaché au directeur financier. Développement et utilisation des normes comptables anglo-saxonnes dans le groupe Fliquat Monopole.*

De 1980 à 1983 :
   Contrôleur de gestion *des deux usines du groupe (500 et 200 personnes, fabrication de segments de piston), rattaché aux directeurs d'usine.*
   Mise en place et exploitation du système de contrôle budgétaire.

De 1978 à 1980 : CHAMBRE DE COMMERCE ET D'INDUSTRIE DE BASSE-NORMANDIE
   Chargé de mission, *animation d'une opération de développement industriel.*

▶ **LANGUES**

Anglais : usage professionnel courant.
Espagnol : connaissances scolaires.

▶ **DIVERS**

Tennis, planche à voile.
Conseil d'administration de plusieurs associations.

Barbara BARENSKA

Université de Paris :
– CELG (anglais-allemand)
– IEP, diplôme section Relations internationales

Université de Harvard, Cambridge :
– Maîtrise en Affaires soviétiques
(Bourses Radcliffe et Fulbright)

Anglais lu, parlé, écrit
Allemand lu, parlé, écrit
Russe lu, parlé
Suédois et norvégien : bonnes connaissances

• 1997-1999 : ARCHIVES NATIONALES •

Recherche et sélection de la correspondance pour publication par les éditions du Seuil en 1998, à l'occasion du centenaire de (...).

• 1990-1997 : FONDATION ROCKEFELLER •
Directeur du Bureau européen à Paris

Création du bureau.
Développement des relations avec les ministères de la Culture, les musées, les universités et les éditeurs, en Europe de l'Ouest comme de l'Est. Participation à des colloques.
Politique de communication avec la presse européenne.
Rapports mensuels analysant les développements culturels en Europe.

• 1984-1990 : BANQUE WORMS•

Chargée de mission pour la France, les Pays-Bas et les pays nordiques, au Bureau européen à Paris.

Contacts institutionnels avec les ministères des Finances, des Affaires étrangères et d'Aide au développement de l'OCDE.
Politique de communication avec la presse économique.
Voyages de presse, avec visites de projets de la banque, au Mali, Niger, Burkina, Cameroun, Kenya, Tanzanie, Madagascar, Viêt-nam et Mexique.

• **1982-1983 : L'EXPRESS** •

Assistante du rédacteur en chef à Paris

Recherches et interviews pour ses éditoriaux.
Articles personnels sur des sujets politiques, économiques et culturels.

• **1981-1982 COMMISSION DES MARTIN
ET DES MARTINE** •

Chef de cabinet de Fernand Spaak, Déléguée de la commission à Washington

Préparation de rapports pour Bruxelles et projets de correspondance.
Notes politiques, économiques et culturelles pour les voyages de Fernand Spaak à travers les Etats-Unis.
Suivi des questions d'emploi et syndicales au Congrès américain.

1970-1980   **FRANKFURTER ALLGEMEINE ZEITUNG**
Correspondante à Washington

ORGANISATION DES NATIONS UNIES,
New York
Chargée de mission au service Information

AMBASSADE, Stockholm
Attaché culturel

LE POINT, Paris
Assistante de rédaction

FONDATION NATIONALE Raoul DAUTRY,
Paris
Assistante du professeur Pierre Sertaud, à la section URSS-Chine du Centre d'études des relations internationales.

ETAT CIVIL :

Nationalité française
55 ans, 2 enfants étudiants.
4 square Lamartine, 75016 PARIS
Tél./Rép./Fax 01 45 85 82 2X.

Jean ASTER
45 avenue Villemain
75014 PARIS
Tél. 01 40 48 04 5X

Objectif :
Direction générale d'une PME

○ COMPETENCES ET REALISATIONS

Management

• Prise en main d'une structure industrielle défaillante. En 2 ans, j'ai réussi à redresser les comptes pour permettre de retrouver l'équilibre fin 1998 (- 42 MF en 1995). Mise en œuvre d'une nouvelle stratégie de niches et développement de l'export.

• Initiation et développement d'un partenariat technique avec une entreprise allemande similaire.

Finances/comptabilité

• Mise en place d'un système de gestion des stocks informatisé générant une augmentation de la rotation annuelle de 4 à 6,5 %.

• Conception et gestion de la restructuration de la société générant une économie de plus de 2 MF annuels.

Ressources humaines

• Mise en place d'outils pédagogiques devant aboutir à une polyvalence presque complète du personnel.

• Conception d'un système de primes pour le personnel d'encadrement qui a réduit de plus de 50 % le taux de démissions à ce niveau hiérarchique.

• Recrutement à ce jour de près de 150 personnes. Sur 24 cadres recrutés par moi-même, 21 sont en poste.

Informatique

• Analyse et préconisation d'un système de traitement informatique de comptabilité de groupe.

Commercial

• Prospection de nouveaux clients ayant généré 1,5 MF de new business la première année.
• Relation et suivi de la clientèle existante (38 000 clients).

○ PARCOURS PROFESSIONNEL

1994 à ce jour TROC INDUSTRIES SA – Valence
CA 950 MF – Décolletage – Effectif : 170 personnes
Directeur financier puis directeur général adjoint (depuis 1995).

1988-1994 CPPM
Centre de prévoyance des professions maritimes – Toulon
CA 550 MF – Activité de services – Effectif : 70 personnes
Directeur financier et administratif.

1971-1988 DIRECTION REGIONALE DE l'ARMEE DE L'AIR – Toulouse
1 900 personnes
Responsable administratif et financier d'une base aérienne.

○ FORMATION

DEA Gestion
DECS (Diplôme d'Etudes comptables supérieures)
Bilingue anglais-français.

○ LOISIRS

Pilote d'avion.

Jean-Claude PICARD
16, avenue du Midi
94100 SAINT-MAUR
Tél. D. 0I 43 94 19 1X
    B. 0I 48 85 65 2X

QUALIFICATION

Directeur d'exploitation BAT (Entreprise de BTP appartenant au groupe SCREG)

EXPERIENCE PROFESSIONNELLE

1995 à 1998   Membre de l'équipe de Coordination des filiales et implantations du groupe SOCEA dans les DOM-TOM

J'étais principalement chargé du suivi opérationnel de l'activité bâtiment des filiales BATOM Guadeloupe, BATI Martinique, SOGI Guadeloupe et BAT Martinique.
Chiffre d'affaires total en 1996 : 450 MF – Effectif : 400 personnes dont 40 cadres.

PRINCIPALES RÉALISATIONS :
    – Logements sociaux et en promotion privée, résidences hôtelières, résidences de personnes âgées.
    – Immeubles de bureaux, immeubles administratifs, entrepôts.
    – Centres culturels, aérogares.

ACTIONS COMMERCIALES :
    – Marchés négociés, montages d'affaires, concours conception/construction, appels d'offres (contrats d'entreprise générale ou de mandataire d'un groupement ou de gros œuvre seul).
    – Études de grands projets (> 150 MF) : aérogares, centres pénitentiaires, centrales EDF, casernements.
    – Contrôle et orientation de la gestion budgétaire et contractuelle des affaires et du management des moyens (personnels, investissements).
    – Gestion des contentieux et sinistres importants (enjeu total : 50 MF).

1994 à 1995   Directeur adjoint de la Zone Caraïbes

Direction des filiales et agences internationales de SAT.
Responsable de l'activité des filiales BATA Guadeloupe, BATI Martinique et BAT Guyane (en 1994).
Chiffre d'affaires total en 1994 : 400 MF – Effectif : 400 personnes dont 30 cadres.

PRINCIPALES RÉALISATIONS :
    – Immeubles et lotissements de logements sociaux et en promotion privée (construction neuve ou rénovation), hôtels, bureaux et bâtiments administratifs.
    – Collèges, lycées, maternités (rénovation), hôpitaux.
    – Centres commerciaux, ateliers, centrales EDF.

RESPONSABILITÉS DIRECTES :
    – Respect des objectifs élaborés et contrôlés sur le terrain avec les directeurs des filiales.
    – Animation et coordination de l'action commerciale et de l'exploitation.
    – Gestion du personnel et contrôle des immobilisations.

1990 à 1993   Directeur pour l'Afrique centrale de la BAF

Membre du Comité de direction de BATI.
Responsable de l'activité des filiales et implantation au Gabon, au Congo, au Zaïre, et du développement en Centrafrique, en Angola et en Guinée équatoriale.
Chiffre d'affaires total en 1993 : 350 MF –
Effectif : 900 personnes dont 35 expatriés.

PRINCIPALES RÉALISATIONS :
    – Bâtiments de prestige : banques, sièges sociaux, aérogares, hôpitaux…

– Lotissements importants (≤ 500 villas).
– Bâtiments courants : hôtels, logements, cliniques, collèges, lycées, bureaux…
– Génie civil industriel : stations de traitement des eaux, réservoirs, terminaux de chargement miniers, stations d'émission radio.

RESPONSABILITÉS DIRECTES :
– Respect des objectifs élaborés et contrôlés sur le terrain avec les directeurs de filiales.
– Prospection commerciale et contacts avec certains maîtres d'ouvrage publics et privés, institutions financières, grandes administrations, maîtres d'œuvre et partenaires internationaux tant dans les pays concernés qu'en France et en Europe.
– Négociation de certains contrats importants ou spécifiques, y compris avec des maîtres d'ouvrage locaux.
– Règlement des contentieux importants avec les interlocuteurs locaux (gouvernements, administrations, maîtres d'œuvre, syndicats…).

1981 à 1989   Membre de l'équipe de direction du département Afrique de la NOF

Directeur puis vice-président de NOF GABON (81), directeur puis vice-président de SBE CONGO (83), co-gérant de SBE ZAIRE (89).
Chiffre d'affaires total en 1988 : 300 MF –
Effectif : 500 personnes dont 30 expatriés.

PRINCIPALES RÉALISATIONS :
– Grands projets clés en mains avec conception et apport de financement : lycées techniques, universités polytechniques, immeubles de rapport…
– Bâtiments courants : centraux téléphoniques, hôtels des postes, casernes, logements, cliniques, hôtels, banques, écoles…
– Génie civil industriel : cimenteries, huileries, stations de traitement des eaux, studios de télévision et de radio, ateliers, brasseries…

RESPONSABILITÉ DIRECTE exercée essentiellement sur le terrain au sein des filiales pour :
– L'action commerciale
– La technique, l'organisation, les méthodes, la logistique
– La gestion contractuelle et financière, la trésorerie
– La mise en place des moyens
– La conduite, la formation et la gestion des équipes (expatriés et personnel local).

1981   Entrée dans le groupe BOUYGUES

1972 à 1978   Ingénieur puis directeur de travaux de CAMPENON BERNARD

Etudes et réalisations de logements et de collèges en préfabrication lourde.

FORMATION

Ingénieur Ecole centrale des arts et manufactures (1969)
Sciences économiques Sorbonne et Nanterre (1968 à 1972)
Diplômé de l'Institut d'administration des entreprises (1979)
Anglais et espagnol courants
Pratique de la micro-informatique (Excel…).

RENSEIGNEMENTS PERSONNELS

Né le 20 février 1946
Marié – 3 enfants dont 1 à charge (né en 1975)
Possibilité d'expatriation ou de missions
Activités sportives : randonnée, alpinisme, ski.

Pascal DAUMONT

Depuis 1986 : GROUPE AIR FRANCE

Depuis 1994 : SOCIETE MERIDIEN – GROUPE AIR FRANCE
Secrétaire Général adjoint
Chiffre d'affaires consolidé 1996 : 4,6 GF.
En qualité de Secrétaire général adjoint, j'ai :
- assuré le Secrétariat général du groupe (dont plusieurs sociétés cotées) : conseils, assemblées, fusions, etc.;
- effectué le reporting des filiales (activité, résultats, etc.);
- préparé et participé aux comités de direction et aux négociations d'opérations de diversification du groupe;
- procédé à la recherche et à l'embauche du personnel dirigeant et d'encadrement supérieur de l'ensemble du groupe.

1986-1993 : GROUPE AIRHOTEL
> **Responsable administratif (1986-1990)**
> **Directeur administratif (1990-1993)**
> Chiffre d'affaires consolidé 1993 : 0,7 GF, volume d'affaires de 2,2 GF.

Dans le cadre du développement des chaînes Ibiza, Méridien et Country Club, en France et à l'étranger (Grande-Bretagne, Belgique, Hollande, Espagne), j'ai :
- au plan économique et financier : recherché les investisseurs, effectué les montages juridiques et financiers; établis et présenté les dossiers d'investissement; recherché, négocié et mis en place les financements (soit 200 à 500 MF d'investissements annuels);
- au plan juridique et développement : négocié les terrains, rédigé et conclu les actes sous seings privés; signé les actes authentiques; effectué le suivi juridique et financier des opérations de construction; assuré le contentieux; rédigé, mis en place et suivi les contrats de franchisage, de gestion, d'ingénierie, etc.
- au plan relationnel, représenté la société auprès des investisseurs et des différents partenaires financiers, juridiques, immobiliers, etc.

Parallèlement à mes fonctions au sein du groupe AIRHOTEL, j'ai été :
- **de 1992 à 1993 Président-directeur général de Country Club, filiale du groupe.**

J'avais pour objectif la gestion économique et financière d'une soixantaine d'hôtels Country Club, propriété d'investisseurs diversifiés.
- **de 1990 à 1993 Administrateur de diverses sociétés d'exploitation hôtelière, filiales de Country Club.**

1980-1985 : CEPME

Société Ficofinance (pour favoriser le crédit)

1983-1985 : Chef de Service adjoint, Service des Risques
J'ai été responsable de :
- l'arbitrage et l'octroi des crédits consentis par la Fiducière de France à ses assurés contre le risque d'insolvabilité de leur clientèle d'entreprises;
- l'engagement de la société par signature jusqu'à 750 000 F d'encours. Dans ce cadre, j'ai noué d'importantes relations directes avec les asssurés, les courtiers et les sociétés sur lesquels portaient les crédits.

1980-1982 : Inspecteur adjoint, à l'Inspection de Paris
J'ai été responsable du suivi économique des entreprises d'une zone géographique donnée et de branches d'activités.
J'ai créé des relations directes avec toutes les sources d'informations possibles (entreprises, banques, organismes divers…).

Pascal DAUMONT
38 quai Blanqui
59003 LILLE
Tél. 03 20 49 18 8X (Domicile)   **43 ans**
03 20 40 66 3X (Bureau)   **Marié, 3 enfants**

1973 – Baccalauréat série B (Sciences Economiques), mention AB (Paris)
1977 – Maître en Droit des Affaires, Université de Paris X Nanterre
1979 – Diplômé de l'Institut d'Etudes politiques de Paris (Sciences Po), Section économique et financière.

- Anglais : courant
- Allemand : notions.

Autres activités

Sports : équitation, natation, escrime, tennis.
Musique instrumentale et vocale pratiquée.

André DUCRET
23, route de Luzarches
52600 LANGRES
Tél. 03 60 65 82 2X

<u>Responsable des services généraux</u>

❑ **DOMAINES DE COMPETENCES**

Administratif

- Réserver et attribuer les salles de conférences, les supports pédagogiques (35)
- Etudier et planifier les transferts de :
  - locaux (2 600 m^2),
  - mobilier de bureau,
  - personnel (450 personnes),
- Suivre les contrats des administrations et fournisseurs (La Poste, EDF, France Télécom, titres de voyage, fournitures de bureau…),
- Vérifier les factures, enregistrement et transmission à la comptabilité,
- Intervenir en cas de modification ou de litige,
- Superviser et répartitir les emplacements de parking (77),
- Contrôler sur le plan quantitatif et qualitatif les travaux de reprographie,
- Tenir la caisse des dépenses courantes et établir les états de frais correspondants,
- Pointer et facturer les repas du self aux services concernés,
- Recevoir, trier, distribuer, affranchir, expédier le courrier,
- Classer et archiver tous les documents de l'entreprise (40 000 boîtes archives).

Coordination

- Accueillir les visiteurs, les informer sur la société et les diriger
- Traiter les appels téléphoniques (180 par jour environ)
- Choisir les traiteurs et organiser les réceptions du siège (30 par an)
- Centraliser et vérifier les demandes de courses auprès des chauffeurs ou des sociétés de messagerie (4 000 courses annuelles)
- Contacter les transporteurs nationaux et internationaux pour les colisages.

Encadrement *(15 personnes)*

- Répartir les tâches journalières du personnel en tenant compte des urgences
- Contrôler les tâches exécutées
- Assurer les permanences et les roulements
- Rendre compte au chef d'établissement.

Achats

- Sélectionner les fournisseurs (45) et les articles de papeterie et bureautique (300 kF), imprimerie (65 kF), distributeurs automatiques de boissons et aliments, mobilier de bureau : armoires, chaises, bureaux
- Stocker les marchandises en locaux aveugles, les répartir
- Assurer le suivi des stocks en manuels d'utilisation (800 réf.).

Maintenance

- Entretenir le matériel de télécommunication : autocommutateur du standard (60 lignes-220 postes internes), téléphones, téléphones portables, télex, minitels et télécopieurs
- Faire appliquer et respecter les consignes de sécurité de jour et de nuit en collaboration avec les gardiens et les pompiers de service
- Faire réaliser les travaux neufs et d'entretien en relation avec la maintenance extérieure de l'immeuble ou des prestataires extérieurs.

❒ PARCOURS PROFESSIONNEL

USINOR Dunkerque (1973-1992)
Responsable administratif
Lainière de Roubaix (1993-1998)
Responsable des services généraux.

❒ FORMATION

Ecole des Arts appliqués (section graphisme).

❒ DIVERS

46 ans – Marié – 2 enfants
Secrétaire du club de bridge local
Randonnées pédestres.

Jeanne FIEVET
45, rue du Bord
41400 ROMORANTIN
Tél. 02 54 67 54 3X

EXPÉRIENCE PROFESSIONNELLE

1979-2000   *GROUPE WURZER (Suisse)*
45 000 employés dans 12 pays

Depuis 1994   *Assistante du Directeur général*
WURZER Industries France

A ce poste clé de l'entreprise, j'assiste M. Metzger :
– élaboration des dossiers stratégiques,
– préparation des dossiers conseils d'administration,
– organisation des voyages,
– gestion du service de direction générale.
J'ai formé 4 secrétaires à la culture du groupe et au maniement de logiciels.

J'assure la parfaite coordination du DG avec l'équipe dirigeante France et la direction internationale suisse. Efficacité, discrétion, précision, transparence.

1990-1994   *Secrétaire de Direction*
CCN WURZER Direction A & F

Reporting et prévisions budgétaires annuelles
Préparation des bilans, tableaux de bord de suivi mensuel
Interface avec les délégations africaines de 13 pays francophones
Gestion d'un parc automobile de 13 véhicules
Organisation des voyages de 45 personnes.

A ce poste, j'assure la confidentialité obligatoire des transferts de données stratégiques, la vérification in fine des comptes. Je propose des modifications de l'approche budgétaire et vérifie le respect des procédures.

1985-1990   *Secrétaire commerciale*
APROCHIMIE (filiale)

Préparation des dossiers de soumission pour les marchés publics, et rédaction des offres

Relations de fidélisation des collectivités locales
Gestion des effectifs du service
Relance des fournisseurs.

A ce poste, j'assure le suivi relationnel fondamental avec les collectivités locales, et coordonne la bonne marche administrative du service. Je recrute et forme 2 assistantes administratives.

1979-1985   *Service des Pompes industrielles ESCHER WURZER*

Gestion des dossiers, des affaires, des clients et fournisseurs
Prise de rendez-vous commerciaux
Accueil des visiteurs.

A ce poste, j'assure la gestion précipitée des sollicitations extérieures (demandes de visite des sites d'exploitation) et gère seule le secrétariat de 8 commerciaux et d'1 chef de service.

1976-1979   *Courtier d'assurances LA MONDIALE*
Secrétaire commerciale

Gestion des sinistres
Gestion du patrimoine immobilier
Frappe des rapports financiers régionaux.

A ce poste, j'ai appris la gestion d'un portefeuille d'assurances ainsi que celle d'une clientèle angoissée, démunie et exigeante.

FORMATION

Langues : anglais et allemand courants
BTS Wonder secrétaire (Suisse)
Maîtrise de la micro-informatique : tableurs, traitements de texte, bases de données, comptabilité, finance, paie, facturation.

DIVERS

Statut cadre.
Mariée, 1 enfant
Passionnée d'archéologie.

EMMANUEL **SAINT-JALMES**
71 rue de Ponthieu
75008 PARIS
✆ D. 01 45 44 33 2X
   B. 01 42 56 67 8X

Directeur international
ACQUISITIONS EXTERNES — RAPPROCHEMENTS
RESTRUCTURATIONS — RECONFIGURATIONS

<u>**1995-1999**</u> • **PEUGEOT Outillage** •
CA traité : ≥ 1 GF (hors royalties). Effectif 1994 :
100 personnes.

DIRECTEUR INTERNATIONAL – PRÉSIDENT DE **PEUGEOT OUTILLAGE UK**

DIRECTEUR/ADMINISTRATEUR DE **PEUGEOT OUTILLAGE ESPAGNE**, détaché à
Barcelone du 1/12/96 au 30/06/97.
- Conduite d'un programme de restructuration des opérations
  internationales ayant abouti à la conclusion d'alliances en
  Allemagne et Italie, la réorganisation commerciale des filiales
  espagnole et anglaise et la mise en place d'une plate-forme
  logistique européenne.
- Redressement financier des filiales et de l'export via la vente
  ou la fermeture des filiales allemande et italienne et par un
  contrôle rigoureux des actifs circulants et frais commerciaux.
- Réalisation du plan d'intégration de la filiale espagnole dans
  la structure Europe avec la mise en place d'une nouvelle politique de sourcing, la fermeture de l'entrepôt et des ateliers
  de confection à travers un plan social réduisant l'effectif de
  60 %. Gestion et animation d'un réseau de plus de 30 bou-
  tiques.
- Démarrage d'un programme de redéploiement international
  avec l'ouverture de nouveaux marchés (Israël, Maroc…), la réac-
  tivation de l'activité licences en Extrême-Orient et l'élaboration d'un projet d'ingénierie commerciale destiné aux pays
  émergeants.

*La contribution consolidée des filiales devient positive en 1997,
après plus de 8 MF de pertes en 1995, l'endettement réduit de
15 MF. La nouvelle structure espagnole est opérationnelle fin
1996. Le CA 1998 est en progression de plus de 20 % par rapport
à 1997 et en dépassement du budget de 10 %.*

<u>**1992-1995**</u> • **CROUZET SA** •
CA traité : 70 MF – Effectif : 30 personnes.

DIRECTEUR INTERNATIONAL
Gérant de CROUZET Allemagne, basé à mi-temps à Düsseldorf du
1/09/93 au 1/05/95.
- Reconfiguration du réseau de distribution en Europe avec la création de la filiale espagnole (co-gérant), l'ouverture de la Grande-
  Bretagne et le renforcement des forces de vente au Benelux.
- Définition et mise en place de la politique marketing et commerciale Europe, élaboration des outils et procédures de budget
  et reporting commercial.

– Développement d'une politique commerciale grands comptes en Allemagne.
– Interlocuteur direct des centrales d'achat (+ 10 %).
– Préconisation d'un plan de reprise/absorption de CROUZET GmBH par une filiale du groupe DAIMLER-BENZ. Préparation du dossier et mise en place d'une équipe de transition.

L'activité internationale a été redressée après plusieurs années de baisse du CA en préservant la marge. La société allemande a été reprise un an plus tard, dans le cadre du rachat de CROUZET par le groupe DAIMLER-BENZ.

1991-1992 • **Création d'un cabinet de conseil en développement export auprès des PME/PMI** •

1985-1991 • **PECHINEY Alumine SA (Groupe PECHINEY)** •
CA traité 40 MF (semi-finis) – Effectif 8 personnes.

1987-1991 : RESPONSABLE EXPORT
– Mise en place, développement et animation d'un réseau de distributeurs exclusifs en Europe et Amérique du Sud, établi à partir d'une prospection méthodique des marchés et conclu par un apport en savoir-faire technique, marketing et commercial.
– Création d'une cellule export autonome avec marketing et administration des ventes intégrées, pour adapter la politique marketing centrale aux spécificités des marchés et gérer l'ensemble de la prestation.
– Supervision de l'activité sur le marché d'Extrême-Orient et ouverture du marché d'Etat algérien.
– Négociation auprès des centrales d'achat pour l'Afrique et les DOM-TOM.

Plus de 20 pays ont été prospectés, la marque est implantée durablement dans toute l'Europe avec des partenaires de qualité. Le CA a plus que doublé et la marge a progressé de 7 points.

❏ LANGUES

• **Anglais** : bilingue • **Espagnol** : pratique professionnelle courante • **Allemand** : pratique professionnelle.

❏ FORMATION

• 1985 MBA Universisty of California : Graduate School of Managment, Irvine.
• 1983 Maîtrise de Gestion.

❏ DIVERS

• Marié, sans enfant
• Né le 18 mai 1958 (41 ans)
• Disponible pour des missions à l'étranger
• Violoncelliste.

André DUCHEMIN
12 av. du Maréchal-Leclerc   Tél. HBx 04 67 89 00 9X
89000 AUXERRE   Domicile 04 68 75 10 5X

Mon métier :   •• **CONTRÔLEUR DE GESTION** ••

Mes objectifs

→ Contrôle de gestion général

→ Direction administrative et financière de PME/PMI

Mes compétences

Au sein de sociétés de production et de distribution, j'assure les tâches suivantes :

• Analyse, création et contrôle des :
- systèmes d'informations papier et électronique,
- reportings internes,
- budgets, analyse des écarts, contrôle de gestion.

Je traite particulièrement les problèmes de trésorerie et de placements financiers.

Expérience professionnelle

1994 à ce jour : | **CDF**
Responsable du contrôle de gestion de
la filière ETHANOL
9 unités de production en France
1 unité aux Pays-Bas
CA : 850 MF

• Mise en place du contrôle budgétaire
• Analyse des écarts

- Définition du cahier des charges micro et mini-informatique. Tests, lancement de l'exploitation (recueil données, contrôle)
- Création de 5 échelles de reporting pour la France et 3 pour l'étranger
- Elaboration d'un plan de formation/sensibilisation au contrôle de gestion pour 350 personnes sur 5 ans

1991-1994 : **CARREFOUR Hypermarchés**
Contrôleur de gestion des unités
Champagne et Bourgogne
CA traité : 5 GF, 1 250 personnes.

- Il s'agissait de créer et mettre en place un système complet et centralisé de contrôle de gestion :
  - analyse des relations fournisseurs,
  - PERT des flux frais,
  - gestion des flux financiers et trésorerie,
  - analyse et traitement de la démarque,
  - reporting hebdomadaire sur 5 sites.

1989-1991 : SECODIP (produits frais grossiste)

- Mise en place de la comptabilité de gestion.
- Placements financiers (trésorerie)

Formation

1989 : ISG option Finances
1987 : DEUG Sciences Eco.

Langues étrangères

ANGLAIS : lu, parlé, écrit.

Situation de famille – Divers

33 ans, marié, un enfant.
Judo (compétition).

Olivier DABRET
19 rue L. et S.-Guitry
75020 PARIS
Tél. D. 01 42 20 30 2X
     B. 01 45 30 10 4X

BANQUE : RESPONSABLE TERRAIN

Missions de diagnostic, de gestion, de redressement
dans un réseau bancaire

> **E**laboration et mise en place de projets de diversification
>> **C**ompétences de secrétariat général.

→ *Expérience professionnelle*

1983 à ce jour : BANQUE INTERNATIONALE POUR L'ASIE
(350 personnes, 15 filiales étrangères)

RESPONSABLE DE ZONE ASIE

- Gestion des participations du groupe dans des banques asiatiques; assistance technique directe aux filiales.

- Préparation et participation aux assemblées générales, conseils d'administration, réunions d'actionnaires.

- Participation à l'élaboration de la politique commerciale, d'investissement, de personnel, dans le cadre d'un budget annuel (définition des objectifs et suivi des résultats).

- Diagnostic et surveillance des risques (participation aux comités de crédit), contacts avec les plus gros clients nationaux ou les grands groupes.

- Conception et mise à jour permanente d'une documentation (politique, monétaire, économique) à destination de la direction générale du groupe.

- Préparation et participation aux voyages de la direction générale auprès des autorités politiques et monétaires étrangères.

- Surveillance des grands équilibres; fonds propres, trésorerie, risques.

- Participation directe à l'élaboration de plans de redressement et de réinsertion des salariés licenciés.

- Production d'un projet de banque clés en mains soumis aux autorités du Sri Lanka (chef de mission).

• Participation à l'élaboration de divers projets : Banque de l'habitat au Laddak, Société de caution mutuelle des métiers de la pêche en Inde, guichets spécialisés (Chine), produits spécifiques d'épargne.

Pour l'ensemble des missions, assisté des directions techniques et fonctionnelles du groupe (informatique, gestion, DRH, inspection, immobilier…).
Nombreux déplacements : environ 70 missions à l'étranger.

1971-1982 BANQUE SCALBERT

• Apprentissage et maîtrise des différentes techniques propres à satisfaire les besoins d'une clientèle de particuliers (placements, prêts), d'artisans, de commerçants (concours spécifiques) et d'entreprises.

Dernier poste occupé :

RESPONSABLE COMMERCIAL DANS LE GROUPE DU SIEGE SOCIAL

• 230 millions de dépôts, 130 millions d'engagements
• Animateur d'un stage Bourse et Titres dans le cadre de la formation professionnelle interne.

➜ *Formation*

Brevet professionnel de Banque

➜ *Langue*

Anglais

➜ *Formation complémentaire*

Word 5 (1994)
Comptabilité d'entreprise, fiscalité, analyse financière (1996)
Logiciel SAARI (1996).

➜ *Autres informations*

44 ans
Marié, 1 enfant.

Dominique MAZIERE
145, avenue G.-Bernanos
92220 COLOMBES
Tél. D. Rép. 01 46 78 76 4X
Tél. B. 01 45 44 12 6X
Né le 08 avril 1951
Marié, 2 enfants

IEP Paris (Eco-Fi) – 1974
Licence en Droit – 1975
DECS – 1985
Bilingue anglais et espagnol

▶ BANQUE INDOSUEZ ◀
Depuis avril 1994

DIRECTEUR DE LA COMPTABILITÉ ET DU CONTRÔLE DE GESTION (44 personnes)

- Reconstitution de l'équipe du contrôle de gestion (10 personnes, basées à Paris) et refonte de ses outils : budgets, tableaux de bord, statistiques, trésorerie interne, coûts opératoires (15 filiales – 70 agences – 150 centres analytiques).
- Développement d'interfaces généralisées et de synergies avec la comptabilité (implantée à Nantes).
- Création d'une base d'information comptable pour la gestion actif-passif.
- Définition des règles de valorisation des swaps (160 GF).
- Mise en œuvre dans les délais de la réforme comptable des banques (Bafi-Drep).
- Optimisation de la fiscalité du groupe.
- Réduction progressive des effectifs (2 personnes par an).

▶ CREDIT COMMERCIAL DE FRANCE ◀
1990-1994

Successivement :
CHEF DES SERVICES COMPTABLES,
    DIRECTEUR DE LA COMPTABILITÉ,
        DIRECTEUR DE LA COMPTABILITÉ ET DU CONTRÔLE DE GESTION (20 PERSONNES).

- Refonte et informatisation des reportings mensuels. Définition de fonctionnalités clés de la chaîne trésorerie-devises. Prise en charge sur celle-ci des encours en devises (1/3 du bilan) et mesure des marges par adossements notionnels.
- Contrôle quotidien et alimentation de la position de change.
- Informatisation des résultats sur titres.
- Gestion des échelles d'intérêt.
- Accélération (de 4 mois à 45 jours) de la production des comptes annuels dans le cadre de la consolidation du groupe BSN.
- Participation active à diverses analyses fonctionnelles ; chaîne de comptabilité, agios, eurocrédits, certificats de dépôts.
- Pilotage d'un contrôle fiscal.

▶ BANQUE HERVET ◀
1986-1990

1987-1990 :   CHEF DE LA DIVISION NORMES COMPTABLES ET CONSO-
              LIDATION
              À L'AGENCE COMPTABLE (**6 PERSONNES**).

- Elaboration en urgence des premiers comptes consolidés dans le cadre d'un projet d'émission de titres participatifs (total du bilan : 900 GF).
- Définition et gestion des normes comptables de l'établissement.
  1986-1987 : **Chargé de mission à la Direction des finances**
- Finalisation de la réforme comptable du réseau Crédit Mutuel dans les secteurs marché monétaire, encaissements, et devises.
- Conception du tableau de financement de l'Institution.
- Validation du progiciel de comptabilité de l'Institution.

▶ SOCIETE DUVAL (Groupe PERNOD-RICARD) ◀
Fabricant et distributeur de boissons alcoolisées
Chiffre d'affaires 550 MF – 450 personnes.
1978-1986

1980-1986 CHEF DU SERVICE COMPTABILITÉ GÉNÉRALE ET TRÉSORERIE (**8 PERSONNES**).

- Gestion prévisionnelle du haut de bilan.
- Gestion endates de valeur de la trésorerie (5 banques ; entre 50 et 80 MF d'endettement à court terme).
- Optimisation des coûts et des conditions bancaires (mise en place de l'escompte en compte en 1983).
- Préparation du changement de plan comptable.

1978-1980 CHARGÉ DE MISSION AUPRÈS DU PRÉSIDENT

- Coordination de la politique de développement (2 marques mises sur le marché ; prise de contrôle d'une société cotée).
- Gestion de la propriété industrielle (1 500 marques et modèles dans le monde).

▶ WOOLSWORTH FRANCE ◀
Banque d'affaires et investisseur immobilier britannique

1977-1978 :   ANALYSTE FINANCIER

DIVERS
Handicap 10 au golf
Amateur d'opéra.

Sylvain BAROUX

HEC – Expert-comptable
Controller de ALTUS Finances
Conseil et audit pour la Commission de l'Union européenne

Depuis 1995 : ROUGHT & NORDMANN CONSULTANTS

■ DIRECTEUR DÉPARTEMENT CORPORATE FINANCE
Direction de missions de conseil auprès d'institutions financières en France et à l'étranger.
- Diagnostics et évaluations de plusieurs banques françaises dans le cadre de projets d'acquisition par des investisseurs français et étrangers.
- Elaboration d'un business plan pour l'activité de « bancassurance » d'un grand groupe d'assurances
- Evaluation de l'impact sur la profitabilité et les cash-flows de la stratégie de diversification d'une grande institution financière.
- Conseil en matière comptable et réglementaire en vue du développement des activités de trading titres d'une grande banque américaine en France.
- Evaluation et diagnostic financier de banques implantées en Roumanie et au Maroc, en vue de leur privatisation (en cours de lancement).
- Consultant auprès de la World Bank et de la CEE pour plusieurs républiques de la CEI (Russie, Belarus) en vue de la refonte des états financiers bancaires et de leur mise en place.
- Evaluation institutionnelle et financière d'une des principales banques algériennes, sur financement de la World Bank. Le plan de restructuration et de renforcement est en cours de mise en œuvre.

De 1982 à 1995 : ARTHUR ANDERSEN France

■ DE 1989 À 1995 : DIRECTEUR FINANCIER ET CONTROLLER
- Responsable de la Financial Division (40 personnes) : coordination et supervision de la planification et du contrôle de gestion, de la comptabilité et du reporting financier US et en France, de l'optimisation fiscale et des relations avec le siège de New York et avec les autorités bancaires de tutelle.
- Développement de nouveaux systèmes financiers et comptables : mise en place d'un nouveau General Ledger.
- Refonte des tableaux de bord par centre de profit.

– Introduction de nouveaux instruments financiers.
– Transactions d'ingénierie financière.
– Représentation de la division au niveau des différents comités (Divisions Heads, Credit, Assets and Liabilities Management).

■ **DE 1985 À 1989 : RESPONSABLE DU FINANCIAL CONTROL AND REPORTING DEPARTMENT**
– Gestion comptable et fiscale des diverses entités de la Banque de France.
– Reporting légal vis-à-vis des autorités bancaires et fiscales françaises.
– Reporting US (Head Office, Federal Reserve).

■ **DE 1984 À 1985 : RESPONSABLE DU *(LOANS AND DEPOSITS DEPARTMENT)***
– Gestion opérationnelle des engagements (crédits cautions) et des opérations de trésorerie.
– Mise en place d'un nouveau système de gestion des prêts et emprunts interbancaires.

■ **DE 1983 À 1984 : ASSISTANT DU RESPONSABLE DE LA DIVISION OPÉRATIONS**
– Etude de rentabilité et de productivité des services opérationnels.
– Développement de nouveaux produits opérationnels.

De 1977 à 1982 : CHARGE DELPEIR

■ **Auditeur**
– Audit de banques, de sociétés de services et de groupes industriels.
– Diagnostics des systèmes de contrôle interne.

Sylvain BAROUX	Marié, 3 enfants
Date de naissance : 24 novembre 1954	Atelier de marqueterie.
HEC – 1977	4 bis, rue Saint-Amand
Expert-comptable	75015 PARIS
Anglais courant	Tél. bur. 01 42 69 35 3X
Nombreux séjours aux USA.	Tél. dom. 01 47 41 12 0X

François LEPELLETIER
7 bd Saint-Germain
75005 PARIS
Tél. 01 47 70 17 0X
54 ans – Veuf
2 enfants

——— *Formation* ———

1967	Ingénieur ICAM – Lille
1968	IAE – Lille
1982-1983	Ecole liégeoise de management
1988	Voyage d'études aux USA – Taïwan – Japon sur la motivation et la participation du personnel dans les entreprises performantes
1991	CRC à Jouy-en-Josas : Centre de recherche des chefs d'entreprise
1997-1998	Formation au management des directeurs HOECHST

——— *Expérience professionnelle* ———

1995-1998 • HOECHST
Leader européen de l'emballage alimentaire – CA 1,1 GF

Directeur d'une verrerie de 800 personnes à Reims

– Mise en place progressive d'un management participatif, tout en améliorant la productivité et les coûts (objectif 655 personnes fin 1998) avec maintien du meilleur prix de revient européen.

1991-1993 • CARNAUD-METALBOX
CA 2 GF

Directeur de 2 usines sidérurgiques *d'aciers spéciaux, Saint-Etienne et Fos-sur-Mer – 1 100 personnes*

– Augmentation de la production de Fos de 50 % et spécialisation de Saint-Etienne dans la transformation à froid.

1988-1991 • Société USINOR
6 000 personnes – CA 5 GF

Secrétaire général *des usines de Gandrange et Longwy (Gestion/Comptabilité/Achats/Informatique/Services généraux/Cercles de Qualité)*

– Dans un objectif de diminution des coûts, allégement des structures en les spécialisant sur leurs métiers et en sous-traitant les fonctions banales ou non spécifiques.

1983-1988 • Groupe NORD-SARRE
Chef du service *Gestion et Etudes économiques des usines sidérurgiques de Longwy –– 2 millions de tonnes d'acier*

– Mise en place d'une gestion budgétaire à coût standard et d'un tableau de bord.

1976-1982 • Groupe PECHINEY
Chef du service Fabrication *des laminoirs à chaud de Réhon (54)*

– Responsable de 500 personnes ; mise en place d'un planning de fabrication informatisé permettant d'améliorer les délais de livraison dans un objectif de juste-à-temps.

1969-1976 • Groupe LEGALL-SERTIS
Ingénieur *au service métallurgique de Réhon (54)*

– Avec une équipe de 20 personnes, suivi de la qualité en usine et des visites en clientèle.

—— *Divers* ——

– Coureur de fond dans la vie professionnelle comme dans la détente (3 heures 53) au marathon de Nice le 8 octobre 1993.
– Randonnées en montagne.
– Golf.

André DELAMARE
4 chemin de la Croix
76000 PLANCHON
Tél. 02 37 45 33 5X

15 ans d'expérience dans le contrôle et la fabrication alimentaires

Mes compétences et qualités :
- connaissance des milieux industriels,
- sensibilisation aux problèmes d'hygiène et de conservation,
- volonté de spécialisation encore plus poussée dans ce secteur,
- bonne capacité d'encadrement et de motivation,
- très forte implication dans le projet d'entreprise.

EXPÉRIENCE PROFESSIONNELLE

1990 à ce jour – CONSERVERIE LAPLANCHE
600 personnes, CA 234 MF.

→ Chef du service Contrôle de fabrication et d'hygiène

- Encadrement de 50 personnes
- Suivi d'un cahier des charges de fabrication complexe
- Gestion d'un magasin de pièces détachées ; stock de 2 MF
- Respect des normes européennes en matière de sécurité et de sûreté
- Mise en place d'une méthode novatrice (unique en France) dans le domaine de la conservation alimentaire.

J'ai développé, en concertation avec l'encadrement et la direction, une politique d'intéressement et de participation des employés :

– en ce qui concerne les problèmes de qualité : suggestions, mise en place de 3 cercles de qualité,
– en ce qui concerne les problèmes techniques : boîtes à idées, découpage et expertise de la chaîne du froid.

| 1984-1990 – MEDITERRANÉE SOLEIL
| 210 ouvriers, 12 ETAM, 14 cadres et dirigeants

➜ **Chef de service d'une conserverie de poissons
en Tunisie**

- Mise en place d'un système de gestion qui a permis de réduire le stock de pièces détachées de 30 %
- Augmentation de la rentabilité de 20 % grâce à une meilleure utilisation du personnel.

| 1977-1984 – LESGARDS AMIENS (carrosserie)
| 3/8 dans un atelier de 60 personnes

á Assemblage et réglage des machines.

FORMATION

- CAP de mécanicien
- Stage de formation aux techniques de conservation de la nourriture
- Stage AFPA QUALITEC (longue durée)
- Stage intra-entreprise LES NORMES DE CONSERVATION Brevet UQA.

DIVERS

- 43 ans, marié, 2 enfants
- Notions d'anglais et d'arabe
- Capitaine d'une équipe de football.

Edouard TESSIER
15 rue Chardon-Lagache
75016 PARIS
Tél. 01 45 66 77 8X

Directeur de production

• EXPÉRIENCE PROFESSIONNELLE •

Depuis 1988 • Société ATP (profilés pour le bâtiment)
– Usine de Gentilly – CA 8 GF. Effectif 600 salariés.

DIRECTEUR D'USINE DEPUIS 1992
  CHEF DE PRODUCTION DE 1990 À 1992
    INGÉNIEUR DE PRODUCTION DE 1988 À 1990.

Mes objectifs en qualité de directeur de production

- ○ Réorganisation des structures de productivité de l'usine
- ○ Elaboration d'un planning de modernisation de l'usine
- ○ Mise en œuvre du remplacement progressif des machines-outils.

Mes responsabilités et résultats

○ *Responsabilité des services de production*

J'ai abaissé les coûts de production de 13 % et assuré le respect des délais de livraison grâce à une restructuration de l'usine et à un réaménagement des horaires du personnel.

○ *Responsabilité du service financier*

J'ai mis en place une gestion informatisée en liaison avec les autres usines du groupe.

○ *Responsabilité du service administratif*

J'ai créé un mode de relation inter-usines : journal interne diffusé à 4 500 exemplaires.

○ *Responsabilité du service commercial*

J'ai organisé des rencontres des chefs de projets France et exportation.

J'ai instauré un suivi des prix de revient et négocié les conditions d'achat des matières premières (économie de 9 % en 2 ans).

J'ai organisé un système de sous-traitance pour le transport des marchandises et supprimé ainsi une partie du parc automobile (économie de 15 % en 2 ans).

1985-1988 : USINOR Longwy

INGÉNIEUR DE PRODUCTION

○ Responsabilité du laminage à froid, en collaboration, puis en solo, à partir de 1986.

J'ai particulièrement collaboré à la création et la mise en route d'un système informatisé de gestion des matières premières : 800 tonnes de granulats économisées annuellement, 5 MF d'économie.

Gestion d'une équipe de 54 personnes (3/8).

• FORMATION •

Ecole des Mines de Nancy – 1984
Bac C, Mulhouse – 1979
Langues : anglais lu, écrit et parlé; allemand courant.

• DIVERS •

Marié, 2 enfants
Vol à voile et chant grégorien.

Richard CHESNE
9, square Berlioz
78450 VERSAILLES
Tél. (D) 01 45 32 66 6X
Tél. (B) 01 42 42 85 5X

**Ingénieur
Ecole polytechnique – 1966
Georgia Institute
of Technology – USA, 1969**

→ *PRATICIEN ET CONCEPTEUR DE PROJETS
INFORMATIQUES SUR GRANDS SYSTEMES
ET SUR MICRO-ORDINATEURS DANS LE SECTEUR
DES SERVICES*

→ *EXPERIENCE CONFIRMEE DE LA GESTION
ET DE LA STRATEGIE D'EVOLUTION
DES CENTRES INFORMATIQUES*

> • *Mon objectif :*
> Assurer des missions de conseil

MINISTÈRE DE L'ÉDUCATION NATIONALE

Sous-direction informatique, depuis 1997
Mission de réorganisation au Bureau Architecture technique et Implantation

– Mise en place d'une structure orientée par projets,
– Procédures de contrôle des dépenses informatiques,
– Outils de suivi des activités du Bureau,
– Relations avec les académies métropolitaines.

CAISSE CENTRALE DU CRÉDIT AGRICOLE – Paris, 1990-1994

(Effectif 130 personnes, CA 2,5 GF)
Directeur informatique

– Création du service informatique :
  (12 personnes – site central IBM 4381 VM – DOS/VSE –
  CICS DL/1),
– Achat et mise en place de logiciels par secteur d'activité
  (réassurance, comptabilité tiers et générale multi-devises,
  gestion de trésorerie...),
– Utilisation de la base de données relationnelles ORACLE
  pour les nouveaux développements (gestion des sinistres,
  tarification) et l'exploitation des données par les utilisateurs,

– Mise en place d'un système bureautique avec 80 micros PC connectés par un réseau local sur un serveur NOVELL diminuant de moitié les travaux de secrétariat.

CREDIT INDUSTRIEL ET COMMERCIAL (CIC) – Strasbourg, 1981-1990

1 500 personnes – 130 agences
Responsable des Etudes informatiques
(35 personnes – site central 3033 MVS —IMS —DL/1)

– Elaboration d'un plan informatique sur 5 ans,
– Installation d'un réseau de terminaux bancaires dans les agences,
– Automatisation des opérations sur l'étranger avec le réseau international SWIFT,
– Création d'une base de données de contrats de crédit,
– Mise en place des procédures d'échanges avec la Carte bancaire et de matériels (distributeurs de billets, terminaux de paiement, centre serveur MINITEL) permettant l'exécution des opérations courantes directement par la clientèle.

GSI – Paris, 1974-1981

Associé à la création de cette société de services en informatique
Directeur de la filiale belge 1978-1981

– Implantation d'un centre de traitement à Bruxelles,
– Recrutement et gestion du personnel (15 personnes).

Chef de projet à Luxembourg 1974-1978

– Mise en place d'un système de recherche documentaire pour les Communautés européennes avec une équipe de 6 personnes,
– Conception et promotion de logiciels généralisés d'édition pour le matériel BULL.

LLOYD'S FRANCE – Paris, 1970-1974

Chef de projet pour des applications bancaires en service bureau

– Réalisation de programmes de calcul scientifique.

Né le 17 mai 1946
Marié, 3 enfants
Anglais courant.

Olivier SENEZE
56, rue du Martin-Qui-Pêche   Tél. (bur.) : 01 46 54 72 8X
94570 CHARENTON-LE-PONT   Tél. (dom.) : 01 45 67 78 9X

HOOVER FRANCE
N° 1 mondial en Bases de données

Depuis avril 1997 - **Directeur des Services**

Fonctions
> Directeur des Services regroupant les activités de conseil, assistance, formation et projets, ainsi que les unités Qualités et Génie. Logiciel (budget 130 MF).

Réalisations
> Création de la structure Service.
> Définition du business plan.

GROUPE CEGOS
De 1991 à 1996

1995-1996 - **Directeur des Opérations de la filiale internationale**

Fonctions
> Responsable des opérations en Afrique, au Moyen-Orient, dans les pays de l'Est et en Russie (CA = 250 MF).

Réalisations
> Mise en place de la nouvelle structure budgétaire et organisationnelle.
> Elaboration du plan stratégique à 3 ans.

1993-1994 - **Directeur Organisation et Systèmes d'information Europe**

Fonctions
> Responsable du Centre européen de compétence (Affaires commerciales).
> Responsable du département Organisation et Systèmes d'information France (Ventes et Marketing).

Réalisations
> Elaboration du schéma directeur France puis Europe.
> Mise en place de nouveaux systèmes d'information et applications commerciales et marketing européennes.
> Triplement du budget informatique en 2 ans.

1991-1992 - **Directeur département Projets et Conseil**

Fonctions
> Responsable des services regroupant les activités de conseil, assistance, projets, sous-traitance et de la cellule Qualité.

Réalisations
> Création de la structure Services.
> Définition et mise en œuvre de la méthodologie et des outils.

CA = 22 MF et marge 23 % (89).
CA = 60 MF et marge 26 % (90).

GROUPE CSI
De 1979 à 1990

1984-1990 - **FLECSI – Directeur département Conseil**

Fonctions
Responsable du département réalisant les activités de consulting et de transfert de savoir-faire en technologie de l'information, auprès des clients français et étrangers.

Réalisations
Mise en place auprès de 100 clients de schémas directeurs, méthodologies, plans qualité et outils de gestion de projets. CA = 10 MF et marge 20 % (87).

1979-1983 - **CSI Directeur département Projets**

Fonctions
Responsable du développement de projets et logiciels applicatifs au profit de clients (banques, organismes financiers, industrie et services).

Réalisations
Mise en place de la structure projets.
Management de 30 responsables de projet, ingénieurs et sous-traitants.
Mise en œuvre de méthodes et outils de développement.
Réponse aux appels d'offres et rédaction de propositions commerciales.
CA = 25 MF (81).

MINISTERE DE LA MARINE

1975-1980 - **Directeur de projets**

Au sein du Bureau Organisation, Méthodes et Automatisation de la Marine (BOMAM), directeur de projets, responsable de la gestion automatisée des stocks (projet de 350 hommes/mois).

DIVERS

Divorcé, 2 enfants • Né le 13 septembre 1945• Directeur d'une chorale d'enfants.

FORMATION

Ecole préparatoire et Ecole d'officiers AT • Ecole supérieure technique du Génie
• DIM (Diplôme Informaticien Militaire).

Roland CEDRAS
67 avenue de l'Europe
27000 EVREUX
Tél. 02 32 55 44 1X

EXPÉRIENCE PROFESSIONNELLE

❑ **Responsable pré-presse** • IMPRIMERIE LENEUF 1994-1999

Tous travaux livres, pub, brochures, divers.

SUIVI ET CONTRÔLE DE LA CHAÎNE GRAPHIQUE
Photogravure, noir, couleur, montage, copie chassis, repetex par logiciel

– Implantation et gestion du service, mise en place de deux équipes
– Entretien et suivi parc machine (1,2,4,5 couleurs avec UV; rotatives 5 couleurs)
– Suivi de la qualité et de la rentabilité de la chaîne de production.

❑ **Chef de fabrication** • IMPRIMERIE ADORLAC 1991-1994

PLV Jaquette vidéo, K7 et disques, travaux divers.

RESPONSABLE PLANNING ET DEVIS, RECHERCHE ET SUIVI DE LA SOUS-TRAITANCE
Impression typo, offset, flexographie, dorure à chaud Façonnage et manutention internes

– Réorganisation du service fabrication (5 fabricants)
– Relation et conception auprès de la clientèle
– Recherche et négociation de la sous-traitance (75 % du CA).

❑ **Fabricant** • IMPRIMERIE NOUVELLE DE NORMANDIE 1987-1991

Brochures, catalogues et livres d'art, travaux divers.

ADJOINT AU CHEF DE FABRICATION
Impression offset tous formats

– Relations clientèle, responsable des brochures puis du brochage

– Préparation de copie, impositions
– Suivi qualité/prix de la chaîne graphique.

❏ **Artisan** • Paris 1981-1987

– Dessins maquette, exécution, photogravure
– 2 employés, dessinateur et photograveur
– Prospection et suivi clientèle
– Gestion et comptabilité de l'entreprise.

❏ **Chef d'atelier** • IMPRIMERIE IEI – 1972-1981

Revues, catalogues, brochures, livres, divers.

FABRICATION PUIS LABORATOIRE
*Impression offset, feuille et rotative
5 couleurs 4 bobines*

– Implantation d'un service de pré-presse
– Mise en place d'un service de préparation/temps fonctionnels, toujours en place actuellement
– Reporteur photomécanique, montage photo, noir et couleur.

FORMATION

Ecole Estienne Paris
Imposition, montage, photogravure
Devis, fabrication

Chambre de commerce de Paris
Cours de gestion

Ecole Universelle
Maquette, dessin d'exé.

Centre d'études informatiques
PréAO.

DIVERS

Né le 12 août 1944
Autonomie totale sur toute la chaîne graphique
Marié, 2 enfants étudiants
Animateur d'un réseau local d'entraide.

Philippe VALETTE
27 bd Vincent-Auriol
94100 GENTILLY
Téléphone personnel
01 36 41 18 6X

○ *JURISTE*

*Je me suis spécialisé dans le droit des affaires,
à dominante financière et fiscale. Je souhaite voir
mon champ d'action s'élargir à l'Europe.*

EXPERIENCE PROFESSIONNELLE

De 1993 à ce jour : **PROCTER ET GAMBLE**

45 avenue Foch, 75016 PARIS

➔ Responsable du service juridique

A la tête d'une équipe de 3 personnes, je conseille le département cosmétique :
- Décision d'orientation des dossiers contentieux (action juridique ou commerciale); gestion de ces dossiers ;
- Montage des dossiers juridiques techniques (implantation d'unités de production) ou commerciaux (contrats de distribution, liquidation d'activité) ;
- Instruction des actions en justice ;
- Recouvrement des impayés.

➔ Fiscaliste

Département contrôle de gestion :
- Je conseille la direction financière groupe sur les options fiscales ;
- Je traite les dossiers de fiscalité en provenance de toutes les unités du groupe et plaide ceux-ci, après instruction, auprès des services fiscaux, ou du ministère des Finances.

1988-1993 : **ETUDE FARMER'S**

Assistance juridique des auditeurs puis auditeur junior
A cette place, j'ai abordé les domaines les plus divers, comme :
– gestion des titres et des rapports annuels,
– tenue des registres légaux,
– augmentations de capital, consolidations de groupes,
– transfert des sièges sociaux, dont plusieurs mouvements inter-européens.

J'ai traité l'intégralité du rapprochement Waynes/Messageries Atlantique.

FORMATION

1987 : DESS option Fiscalité
1986 : Doctorat Droit privé (Marseille). Mémoire : Les taxes parafiscales au secours de la protection européenne de l'environnement
Stage 1985-1986 au cabinet d'avocats Merchand-Lenôtre

LANGUES ETRANGERES

Anglais et allemand courant
Italien (notions)

DIVERS

Marié, sans enfant
Membre fondateur d'une troupe de théâtre
Né le 22 avril 1962.

Françoise BERGER
24, rue de l'Annonciation
75016 PARIS
Tél. 01 48 98 56 4X

ASSISTANTE JURIDIQUE SENIOR - Quadrilingue

COMPETENCES

☞ Maîtrise des techniques et procédés juridiques (recherches, rédaction) :
  – gestion de titres,
  – rapports annuels,
  – élaboration des attendus,
  – pré-rédaction de conclusions.
☞ Capacité de gestion générale et d'encadrement (+ formation).
☞ Maîtrise des outils : traitements de texte, gestion de fichiers et bases de données.
☞ Qualités personnelles adoptées à ce métier.
  – Sens de la responsabilité
  – Autonomie
  – Communication (quadrilingue)
  – Organisation.

EXPERIENCE

De 1978 à ce jour : **BERNAUD & TUFFIER**
  Entreprise de services financiers, juridiques et comptables
  900 personnes – France + 4 filiales en Europe – CA 1 GF.

ASSISTANTE DU PRESIDENT-DIRECTEUR GENERAL

• A ce poste, j'ai :
  – préparé les réunions et dossiers de conseils d'administration et assemblées d'actionnaires, rédigé les procès-verbaux ;
  – assuré la préparation des dossiers juridiques de fusion d'entreprises, création de holdings, fermeture de filiales ;

- contacté les avocats d'affaires, les ministères de l'Industrie et du Commerce ;
- traduit en italien, espagnol ou anglais les documents destinés aux filiales.

- Responsabilité : 3 personnes

- Tous les dossiers « sensibles » sont traités exclusivement par moi-même. J'ai dû rapporter des séances de conseils d'administration ou représenter la direction sur des pouvoirs spécifiques.

- Je possède la délégation de signature financière.

De 1975 à 1978 : **bureau d'études MILLOCIM, à Paris**
SECRETAIRE TRILINGUE

- J'ai géré la totalité des charges administratives et juridiques du bureau, notamment en ce qui concerne les dépôts de brevet (problèmes de propriété industrielle) et les actions juridiques intentées par le bureau pour de nombreux problèmes de contrefaçon.

- J'ai assuré, en outre :
  - les relations avec 6 pays européens (organisation de voyages, séminaires, chantiers) ;
  - la gestion des dossiers administratifs des missions à l'étranger (autorisations, finances, douanes, etc.).

FORMATION

DEUG de Droit civil et commercial
BTS Secrétaire de direction – anglais, espagnol, 1973
Bac philosophie
Diplôme à la Chambre de commerce de Madrid.

DIVERS

Rafting (Alpes) et équitation.
Fréquents séjours en Emilie, Italie (résidence d'été) et aux USA.
J'ai deux enfants scolarisés (lycée).

Bernard DARMONT
3, cité des Coquillères
38300 GRENOBLE
Tél. 04 69 67 90 4X

FORMER L'INDIVIDU, GERER SA PERFORMANCE

Mon objectif est de concevoir et animer des programmes
de formation, puis prendre en charge, à terme, une DRH.

Compétences

• Gérer et développer une structure de formation :
 – sérier objectifs, problèmes et environnement
 – concevoir les programmes et les actions
 – construire et développer les modules ; au besoin,
   les rédiger et les fabriquer
 – animer une équipe de formateurs
 – évaluer les actions entreprises.

• Recruter une équipe de collaborateurs et gérer cette entité :
 – recrutement
 – entretiens, sélection, contrats de travail
 – élaboration d'un système complet d'évaluation
   et de gestion de carrière
 – gestion des conflits sociaux.

• Manager une structure :
 – confirmer les objectifs
 – suivre les performances (tableau de bord), études
   de rentabilité, mise en place d'accélérateurs de déviations
 – mener cette structure à une évidence de fusion technique,
   humaine et économique avec une autre structure.

Parcours

Depuis 1995 - **Responsable de la formation à la chambre de
                commerce de Nanterre** (Hauts-de-seine) :
 – établissement des programmes pluriannuels
 – négociations avec les décideurs techniques et politiques
 – négociations avec les forces syndicales (nouvelle
   convention collective des agents régionaux)
 – direction de la rédaction du bulletin départemental
   emploi-formation.

De 1991 à 1995 - **Responsable de la formation à l'UIMM**
(1ᵉʳ syndicat patronal) :
– élaboration des programmes de formation
– mise en place et suivi des actions en entreprise et
dans les comités locaux de l'Union
– recrutement de 85 formateurs ; mise en place
des programmes d'évaluation
– mise en place d'une dynamique de financement des actions
de formation.

De 1985 à 1991 - **Assistant puis adjoint du directeur régional
Rhône-Alpes d'ECCO** (personnel
intérimaire) :
– suivi des performances financières de la direction régionale
– actions de développement : déménagement, communication,
recrutement puis licenciement pour restructuration.

De 1982 à 1985 - **Responsable du personnel aux Ets SOM-
MEL** (conserves de fruits et légumes en vallée
du Rhône), 35 ouvriers et agents de maîtrise :
– paie, gestion des contrats, préparation des procédures
prud'hommales
– constitution des équipes : roulements, repos, remplacements.

Formation
Etudes :
– BTS assistant ingénieur industrie (1978)
– SPELCIA (ingénieurat Techniques mécaniques) 1981

Langues :
– anglais courant.

Formation permanente :
– depuis 1988, stage permanent SEMA en gestion
des ressources humaines (un module de 2 jours par mois).

Divers
– Collabore aux éditions Eyrolles en qualité de directeur de
collection pour la formation permanente.
– Membre CJD formation/ressources humaines.
– Anime une association locale d'insertion et d'emploi.
– Pratique l'alpinisme et le ski de randonnée.
– Marié, 5 enfants.

Louis LE FOLL   Tél. 04 42 87 67 1X
3, chemin des Acacias   Port. : 06 82 27 63 2X
13700 MARIGNANE

> *GESTION DES RESSOURCES HUMAINES*
> *ET CONSEIL EN LÉGISLATION DU TRAVAIL*

Expérience professionnelle

◆ **SIFOB SA, PME services bancaires de 200 salariés - depuis avril 1993**
Responsable de la gestion du personnel

- Etablissement et suivi de la paie
- Gestion des partenaires sociaux (CE-syndicats)
- Gestion des organismes sociaux (mutuelles, caisses de retraite)
- Recrutement (entretiens, contrats).

OBJECTIFS : maintenir le dialogue social, gérer les conflits sociaux, limiter la pression salariale, augmenter le niveau de qualification à périmètre salarial égal, améliorer la gestion.

RÉSULTATS : en 4 ans, 12 jours de grève, augmentation de la masse salariale (+ 4,5 %). Mise en place d'un logiciel de paie. Négociation d'un contrat de participation.

◆ **CORTAL (Groupe Worms) - 1990-1993**
Collaborateur du DRH (450 personnes)

RESPONSABILITÉS : paies, relations avec les organismes sociaux, secrétariat des CE, gestion des contrats de recrutement.

RÉSULTATS : changement du système paie (négociation avec partenaires potentiels, tests et statistiques). Assistance du DRH lors des négociations sociales, et lors du conflit 1990 (8 jours de grève).

◆ **MANPOWER (agence intérimaire) - 1987-1990**
Coordonnateur paies et législation du travail, mise à jour des conventions d'intéressement :
  – contrats dans 23 sociétés, pour des missions de 2 jours à 18 mois : expertise paie sur 13 secteurs professionnels et 59 métiers;
  – expérience en entreprises de 12 à 2 500 salariés.

Formation

1987 : BTS gestion des ressources humaines
1988 : 2ᵉ cycle RH (DALLOZ par correspondance)
Stages permanents de mise à niveau des connaissances en droit social.
Possesseur de l'intégralité des législations européennes du travail. Banque de données personnelle sur conventions d'intéressement.
Projet : collaboration avec l'éditeur LIAISONS SOCIALES pour ses parutions professionnelles.

Divers

37 ans. Marié, 1 enfant.
Passionné Internet (animateur de 3 news groups).

Hubert GAUVIN-DAVID

➜ Experience professionnelle

Depuis 1997 : MISSIONS PONCTUELLES en matière juridique au sein de 3 cabinets-conseils parisiens.

1992-1997 – DUBOIS

Division transports du groupe MAN
24 sociétés en Europe – 2 500 personnes – CA 1 700 MF.

DIRECTEUR JURIDIQUE

Membre du Comité de coordination. Responsable des fonctions juridique et contentieux de la division. Directeur d'une équipe réduite animant un large réseau international de conseils extérieurs.

Réalisations marquantes :
- Négociation des conditions juridiques d'acquisition de 6 sociétés opérationnelles étrangères pour 185 MF, apportant une augmentation de 30 % du CA et une position de leader en Europe.
- du désengagement d'un joint venture au Portugal avec récupération de la mise de fonds initiale : 8,5 MF.
- Mise au point des modalités juridiques de la cession du secteur maritime représentant un CA de 80 MF et de la location de 5 navires.
- Collaboration à la mise en place d'une politique européenne d'assurance pour l'ensemble du groupe SETRA.
- Régularisation et réorganisation de la gestion juridique des entités françaises et étrangères.

1975-1992 – CAC

Division maritime du groupe
25 sociétés – 600 personnes – CA consolidé marchandises et passagers : 950 MF.

CHEF DE SERVICE puis DIRECTEUR JURIDIQUE ET DES ASSURANCES 1986-1991

Membre du comité de direction. Responsable des fonctions juridique et contentieux de la division. Responsable de la gestion des risques de la flotte Pacifique : 16 navires. Directeur d'une équipe de 14 personnes.

Réalisations marquantes :
- Négociation de conventions de cession et d'acquisition de droits conférenciels ou de trafic : montage des structures juridiques adéquates.
- Négociation d'un montage juridique complexe comportant la mise au point simultanée et coordonnée de contrats de construction de 2 navires et de cession avec lease back de 2 unités anciennes : 800 MF.
- Solution, sans bourse délier, d'un blocage du paquebot ALLIANCE, avec 500 passagers, dans le port de Sidney, susceptible d'entraîner la perte du navire et d'altérer l'image de marque de la compagnie.
- Mise en œuvre d'une politique d'assurance des corps de navire nouvelle s'appuyant sur un partenariat avec les assurances et une sensibilisation des préposés sédentaires ou embarqués. Economie annuelle de prime de 7,5 MF et sensible diminution des sinistres.

GESTION D'ÉVÉNEMENTS MARITIMES MAJEURS :
- *1986* : CANORTEA, navire échoué en Orénoque, sauvé en 3 jours dans un contexte de communication très difficile.
  Valeur : 9 M US$ pour un coût de 0,25 M US$.
- *1987* : Négociation à Londres des préalables juridiques au sauvetage de CITY NAPOLI, paquebot échoué dans les Caraïbes, puis négociation à Rotterdam de l'indemnité d'assistance : 6 M US$ pour une valeur assurée de 24 M US$.

ASSISTANT puis ADJOINT en 1976
DU RESPONSABLE DES QUESTIONS JURIDIQUES ET D'ASSURANCES 1976-1987

RESPONSABILITÉS :
- Assurances terrestres et maritimes du groupe CAC (hors corps de navire)
- Instruction des sinistres majeurs de transport
- Négociation des contrats commerciaux de durée, des contrats d'affrètement de navires et des contrats de transport
- Négociation ou conseil juridique pour les acquisitions et cessions de navires
- Par délégation :
- Risk Manager de la chaîne hôtelière 3 EPIS
- Responsable juridique de la société sœur, la Couverture Navale : CA 300 MF
- Conseil juridique de AMAXOS : CA 215 MF.

RÉALISATIONS MARQUANTES :
- Transports réfrigérés sous contrat de tonnage ; droit fondamental, requalification du contrat : 2,5 MF payés sur un préjudice subi supérieur à 10 MF.
- Négociation du contrat de construction de 4 navires avec un chantier japonais pour 112 M US$.
- Pour la Peinture Navale : résolution d'un recours pour malfaçons, difficile par son objet et la multiplicité des parties en cause, portant sur 40 MF.

1975 — STAGIAIRE

RÉALISATION MARQUANTE :
- Refonte des billets de passage Détroit du Bosphore.

→ FORMATION

1975 – Licencié en Droit (faculté de Nantes)
1979 – Diplômé de l'Institut des Assurances de Paris
Langue étrangère : anglais (lu, écrit, parlé).
→ ACTIVITÉS ASSOCIATIVES

Création et animation d'un foyer de jeunes
Animation de colonies de vacances.
→ SITUATION PERSONNELLE

Français, né le 29 mai 1950 (50 ans), marié, 2 enfants.
→ ADRESSE

36 rue du Colisée – 75008 PARIS – Tél. 01 45 36 78 9X

Anna VERNHET
8 rue des Patriarches
75008 PARIS
Tél. 01 49 77 12 8X

Born September 11, 1952 (47)
in Budapest (HUNGARY)

French nationality, 2 children

EDUCATION

1980 : Master's degree (Ph. D.) in English (+ Spanish certificates), at Paris III-Sorbonne.

1985 : DEA in MEANS OF COMMUNICATION, Paris University.

1987 : Master's degree in private law and specialization in business law (commercial and company law, industrial property rights, fiscal policy, labour regulations…), at Paris I-Panthéon.

PROFESSIONAL EXPERIENCE

– Since December 1992

FERNHOOD France SA (app. turn-over in 1996 : 600 000 KFF) of the Finnish Group MERKAAVERT (app. turn-over in 1996 : 20 billions FF).

Commercial activities in the field of electronics and, in particular, home entertainment equipments; recently integrated 2 other business divisions, i.e. : mobile cellular telephones and telecommunication equipments and networks.

COMPANY LAWYER

– Take over, organize and develop the Legal Department following the purchase of the company (INSP) by CNET.

– In addition, since Octobre 1996,

CO-MANAGEMENT OF HUMAN RESSOURCES
DIRECTOR of the Board of 2 French companies.

Main activities :
– Participation to and implementation of INSP's decisions in France,
– Social life of the company,
– Negotiation of French and international agreements,
– Setting up of the main litigations,
– Punctual consultations and analysis : reorganization of the French companies (legal and fiscal aspects), share capital operations, coordination of inter-group operations… and more generally all legal matters,
– Risk management/insurance : negotiation and follow up of all insurance policies (third party and product liability, fire, profit and loss, fleet… and litigations),

– Real estate matters : sale, purchase, lease…
– Industrial property rights : trademarks, licenses… (+ litigations),

Human Ressources :

– performance evaluation, management by objectives, recruitment, training,

… Organization and follow up of detached and expatriate personnel.

– 1987-91

SOCIETE SERVAIR SA (holding company) and affiliates with activities in the fields of motorcar, railway and automation equipments (app. turn-over in 1989 : 800 000 KFF); a company of the AMERICAN STANDARD Group.

RESPONSABLE FOR LEGAL AFFAIRS

– Shareholders' and Directors' Meetings, insurances, agreements.
– Share capital increase (call in the public) : coordination with the banks and the stock exchange market administration (COB); information and report to the shareholders.

– 1985-86

GARNIER (engineery and architecture)

ADMINISTRATIVE MANAGER

– Personnel, declarations to relevant governmental authorities, legal matters, follow up of construction programs.

– 1979-85

LOURCAS FRANCE SA (holding company) with activities in the field of motor vehicle equipments.

ASSISTANT TO THE FINANCIAL MANAGER

of the Group (Ducellier, Girling, Roto-Diesel) in France.

– 1976-79

Various student jobs :

– UNESCO : Department of Publications,
– ACDS : creation of a Temporary Work Department hiring qualified multilingual personnel for conferences, fairs…

MISCELLANEOUS

• French mother tongue, fluent and professional practice of English, Spanish (scolar), Hungarian (read, written, spoken).
• Sports : martial arts (hapkido).

Justine DELORME
Née le 12 juin 1965
45, rue de la Lune
75002 PARIS
Tél. 01 45 67 88 9X

(EXPERIENCE PROFESSIONNELLE)

Depuis octobre 1994 – **Agence MK Plus**

- **Collaboratrice-assistante marketing**
  auprès du directeur artistique et du directeur de clientèle

○ Campagnes institutionnelles et produits

○ Création et développement des messages et des annonces

○ Gestion de l'achat d'espaces (245 MF)

○ Suivi de la création : planning, roughs, gestion des free-lance, exécution, maquettes

○ Suivi des espaces : média-planning (pré-sélection), copies diffusions, impressions séries

○ Suivi des clients : dossiers de pré-sélection et sélection, contrats clients, RP

1992-94 – **DDBM – Créations événementielles**

- **Assistante de production**
○ Organisation générale des manifestations : 9 shows sur trois pays – automobile, parfums, BTP, santé-pharmacie

1991-92 – **GAMMA – Agence photo**

○ Mise en place du Bélinar (système d'expédition des fac-similés) pour 67 clients et 240 fournisseurs)

○ Etudes de faisabilité, tests techniques, suivi d'exploitation

1988-91 – **Fondation Jacques DOUCET**

○ Sélection des candidats aux concours
○ Tuteur de 17 stagiaires-lauréats
○ Rédaction, gestion, présentation

1986-88 – **Les Arcs – Ecole de parapente**

• **Monitrice chef de secteur**

○ Gestion du centre, animation des stages, approvisionnement

FORMATION

1993   **Ecole nationale Louis Lumière**
Diplôme d'ingénieur photo, section technique
Recherches au Centre national de l'holographie

1991   **Institut international du Marketing** (Londres)
Certifiée marketing institutionnel

1986   **Ecole nationale des Arts décoratifs**
Diplômée. Spécialisation photo

1985   **Bac B** – Créteil

STAGES

Janvier-juin 1991 – **Ecole d'Arles** (fondation Newton)
Publicité produits (photo) et couverture
des événements

1987 – **Highlands** (Ecosse)
Perfectionnement parapente

DIVERS

Langues étrangères : Anglais courant
Sports de glisse – Photo – Voyages (14 pays)

Sébastien CLEMENT
458, route de la Bigne
78800 RAMBOUILLET

Tél. 01 54 67 66 5X (HBx)
01 54 34 55 6X (répondeur)

Projet

Exercer des responsabilités commerciales et marketing de haut niveau qui me permettent d'exprimer pleinement mes compétences en assurant le succès de projets importants.

Métier

Commercialiser et gérer la profitabilité de lignes de produits ou services liés à la mode et aux loisirs.

Compétences

- Marketing de produits de grande consommation
- Gestion de centres de profit :
  - Acheteur-chef de rayon dans la distribution
  - Responsable de lignes de produits chez un fabricant
- Management d'une équipe
- Négociation Vente-Achat

Responsabilités exercées

Depuis sept. 1992 : JOUET-FRANCE
(670 MF – 250 personnes)
Filiale fabricant de jouets allemand

CHEF DE GROUPE MARKETING, responsable des lignes de jouets pour filles, CA 220 MF. 18 MF de budget publi-promotionnel.
Un chef de produits est placé sous ma responsabilité.

1989-1990 : NOUVELLES GALERIES

ACHETEUR du secteur jeux-jouets et micro-informatique de loisir, avec une double mission :
  - Responsable de la centrale, achetant pour les Nouvelles Galeries de la région Rhône-Alpes. CA 180 MF.
  - Responsable du centre de profit jeux-jouets du magasin de Lyon. CA 129 MF, résultats d'exploitation : + 5 MF.

1986-1988 : NOUVELLES GALERIES

ACHETEUR-ADJOINT dans le même rayon.
  - Assistant l'acheteur pour le travail relatif à la centrale.
  - Chargé d'assister et conseiller les chefs de rayon des Nouvelles Galeries région Rhône-Alpes et de veiller à l'application de la politique commerciale.

Principales réalisations

JOUET-FRANCE

- Conception des plans marketing
- Mise en œuvre et contrôle des politiques du mix
- Responsable de 5 lignes de produits, lancement de 3 lignes nouvelles en 1 an
- Travail de coordination avec les marketing-managers des 6 autres filiales européennes.

1994-1995
- Repositionnement marketing d'une ligne de porteurs dont la mise sur le marché en 1986 avait été un échec
- Définition d'une stratégie ayant assuré avec succès le relancement.

1993-1994
- Tournage de films publicitaires
- Campagne européenne 1994.

1991-1992
- Repositionnement du mix-marketing des lecteurs de cassettes pour enfants
- Augmentation du chiffre d'affaires de 60 % en 2 ans : + 10 MF HT.

NOUVELLES GALERIES

- Conception et mise en œuvre d'une nouvelle politique pour l'ensemble jeux-jouets, micro-informatique. Marge multipliée par 3 en 2 ans.
- Redéfinition de la politique de prix et des assortiments des Nouvelles Galeries pour mieux répondre à la concurrence des hypermarchés.
- Maître d'œuvre de la réalisation du catalogue de fin d'année : 1,5 millions d'exemplaires distribués.

Formation

1984 – Diplômé de l'Institut d'études politiques de Lyon
Section économique et financière
Spécialisation en marketing.

1982 – Maîtrise en Droit des affaires. Université de Lyon.

Langues

Anglais lu, parlé, écrit.

Personnel

35 ans, marié, 2 enfants
Sport pratiqué : escrime.

Bernard LEBAUDE
69 avenue Franklin-Roosevelt
44000 NANTES
Tél. 02 35 56 89 0X

DIRECTION MARKETING ET COMMERCIAL
Biens de consommation durables

- animer les équipes de vente
- lancer de nouveaux produits
- se battre avec la grande distribution.

❂ EXPERIENCE PROFESSIONNELLE ❂

Depuis 1997 : GROUPE FRANKLIN
(Filiale Merlin Gérin : 140 personnes, 140 MF CA. Activité : fabrication et distribution de robinetterie industrielle, protection des réseaux d'eau)

Directeur marketing et commercial – *équipe de 27 personnes*

Objectifs
- accélérer l'intégration du groupe dans le nouveau réseau européen G2A
- redresser le niveau qualité de service
- gagner des parts de marchés.

Résultats
- résolu difficultés de la fusion avec G2A
- rendu la marque incontournable en termes de crédibilité
- repositionné les produits (rendu plus concurrentiels avec maintien des marges)
- amélioré la disponibilité des produits et redressé le niveau de service
- mis en place un reporting pour la direction Europe
- gagné des parts de marché : + 30 % sur certains produits.

1994-1997 : GROUPE FAURE
400 personnes, 300 MF CA – fabrication, distribution de chauffage central

Directeur marketing et commercial
équipe de 42 personnes, budget pub 20 MF

Objectifs
- recentrer la marque sur ses métiers de base
- conforter les parts de marché.

Résultats
- dynamisé les forces de vente en les transformant en acteurs de marché
- signé des contrats de distribution avec les grands comptes : groupements de détaillants, GSS, GSB
- développé un réseau de spécialistes
- renforcé la présence de la marque en préservant la marge
- multiplié par 4 les résultats/prévisions
- accru les parts de marché de 2 points.

1983-1994 : PHILIPS
Electroménager CA 5 GF

1991-1994 : Directeur marketing développement
Lave-vaisselle CA 800 MF – 3 sociétés commerciales – 3 marques
Objectifs
• définir la stratégie commerciale et marketing des produits existants
• lancer une nouvelle génération de produits (Wirhlpool) : transformation de l'outil industriel (230 MF), budget de lancement 250 MF.

Résultats
• augmenté les parts de marché : + 4 %. Le produit devient la référence européenne.

1987-1991 : Directeur commercial
• Restructure, recentre et dynamise l'organisation et la distribution commerciale.
• Négocie avec les grands groupes.

Résultats
+ 200 clients en 2 ans PDM : /35 % budget. CA : + 50 % en 3 ans (240 MF).
86 : pertes, 90 : résultats = 1,5 % CA.

1983-1987 : VEDETTE
CA 1 GF

Directeur des ventes
• Réorganise les forces de vente (50 personnes) et plannifie un transfert de marque
• Négocie avec de grands distributeurs, élargit les parts de marché grâce au renforcement de la gamme.

Résultats
• PDM= + 5 points
• Maintenu VEDETTE leader du marché.

1975-1983 : DE DIETRICH
Equipement ménager – (2 000 personnes)

Promoteur des ventes puis Chef de produit
• Gère les lignes de produits OEM. Forme les forces de vente.

❂ FORMATION ❂

1975 : CISPEC (Centre Institut supérieur des pratiques économiques et commerciales)
1981 : 3e cycle ESSEC : Vente marketing, animation des forces de vente
1991 : Centre de formation Philips (management, 1988-1989).

Anglais courant (écrit et parlé).

❂ DIVERS ❂

Français, 47 ans (né en 1952)
Marié, 4 enfants
Tennis et trekking.

Isabelle PEREIRA
76 rue Jean-Bleuzen
92200 VANVES

Tél. 01 46 55 67 8X

MON PROJET
⇩
DEVELOPPER LA FONCTION COMMERCIALE

MON OBJECTIF
⇩
METTRE A VOTRE SERVICE MA POLYVALENCE
PROFESSIONNELLE ET MON SENS COMMERCIAL

MES ATOUTS
⇩
MON SENS DES RESPONSABILITES,
MON DYNAMISME,
MA VOLONTE DE M'INVESTIR
DANS UNE FONCTION OU ACCUEILLIR,
RENSEIGNER, CONSEILLER SONT DES PRIORITES

❏ **FORMATION**

1999 : BTS Action commerciale
1997 : BEP Vente Action Marchand
1996 : Stage informatique (6 mois) – Paris 13e
1995 : Terminale – Portugal

❏ **LANGUES**

Portugais : courant
Espagnol : lu, parlé
Anglais : notions.

❏ EXPERIENCE PROFESSIONNELLE

De 1997 à 1998 : Vendeuse,
tout en terminant en candidate libre mon BTS
Adjointe du directeur de magasin DÉLICES DE
LIVERPOOL À PARIS 16ᵉ – TRAITEUR-PÂTISSIER
- Accueil de la clientèle
- Tenue du magasin. Je prétends fidéliser la clientèle par mon comportement commercial.
- Je suis d'ailleurs la collaboratrice la plus demandée dans tout le magasin.

De 1996 à 1997 : Vendeuse
SALONS SERETTE À CHÂTILLON (92) – TRAITEUR
- Tenue en solo du magasin 2 jours par semaine.

1996 : **Equipière polyvalente**
MC DONALD'S À PARIS 12ᵉ
- Accueil clients
- Tenue de la caisse
- Prise de commandes
- Préparation des sandwichs
- Propreté du restaurant. Couronnée à 6 reprises collaborateur vedette de la semaine.

o DIVERS

22 ans. Célibataire.
Nationalité portugaise. Signe particulier : sourire.

Gilbert BONNEMAISON
12 rue Sébastien-Froissard
92400 VANVES
Tél. 01 47 67 37 5X

Mon univers : L'EXPORT
Mon objectif : AGENT COMMERCIAL

DIPLOMES ET FORMATION

1998 • **Master de LIBS** (Lincoln International Business School), section Gestion-Finance. Diplôme niveau II : 4 années d'études.
• Semestre d'études à Nicholles State University (Etats-Unis), membre d'honneur.
1997 • **DECF**.
1996 • DPECF.
1994 • Baccalauréat B.

Maîtrise des outils informatiques : Excel, Lotus 1-2-3, Word.

LANGUES

• Anglais : courant – Séjour de 6 mois aux Etats-Unis en 1998.
• Allemand : lu, parlé, écrit, niveau en 1997.
• Japonais : en cours d'apprentissage.

EXPERIENCE PROFESSIONNELLE

Pour l'essentiel, il s'agit de stages de 3 à 8 mois :

▶ Facturation
1995 – SNCF au service Informatique
• Mise au point de programmes de facturation (Excel).

▶ Contrôle de gestion
1996 – Groupe ACCOR au siège social, département International

- Analyse des charges financières (crédit-bail surtout) pour les enseignes Mercure et Altéa
- Préparation du bilan consolidé.

▶ Financement
1997 – Banque LAMBERT (Bruxelles)

- Etude des dossiers de crédit Export
- Accueil et assistance de conseil à la clientèle.

▶ Distribution
1997 – ARTESANIA LOUTAL, fabricant espagnol de meubles en rotin

- Recherche de distributeurs dans le Nord de la France
- Assurance de la distribution.

1998 – M. LOURCHE, producteur de Calvados

- Mission export vers la Louisiane :
  - analyse de la réglementation américaine (douanes, normes, etc.),
  - étude du marché,
  - recherche de distributeurs,
  - étude de la faisabilité financière.

CENTRES D'INTERET

- Président de LIBS Compétition automobile : association loi 1901.
- Sports pratiqués : tennis, tennis de table.
- Passions : marchés financiers, tourisme, cinéma, automobile.

Né le 3 octobre 1976 (24 ans) à Paris 18^e
Célibataire
Dégagé des obligations militaires.

Maxime PODOLSKY   **Polytechnicien**

Depuis 1984   •• **ALSTHOM** ••

> Moteurs diesels de grande puissance (1 à 23 MW) pour centrales électriques, propulsion ferroviaire ou navale (civil ou militaire).
> CA 1 100 MF, 1 000 personnes.

Depuis janvier 1987 : ALSTHOM Groupe Diesel puis FRANCE MOTEURS

Directeur commercial, membre du directoire

> Activité filialisée en 1991 sous le nom de FRANCE MOTEURS pour être cédée par ALSTHOM aux sociétés allemandes MAN et MTU.
>
> Prises de commandes 1997 : 1 400 MF dont 80 % export direct – Chine, Inde, Corée du Sud.
>
> Résultat 1997 : + 5,5 % du CA avant impôt.
>
> Responsable de la coordination des Recherches et Développements de l'ensemble du groupe ALSTHOM.

De 1982 à 1986

Sous-directeur des Equipements industriels,

> En charge du secteur des équipements électriques et mécaniques (hors machines-outils).

De 1970 à 1982 •• **MINISTERE DE LA MARINE** ••

1977-1982

Chef du bureau Coordination des affaires industrielles

> A la Direction des programmes et affaires industrielles de l'armement, rattachée

directement au Délégué général pour l'armement.

1972-1977

Chef du département Essais et Evaluation

De matériels de détection (radars) au Centre électronique de l'armement (CELAR) à Bruz (Ille-et-Vilaine).

1970-1972

Ingénieur responsable

De l'étude du système d'autoguidage d'un projet de missile anti-aérien conduit avec les sociétés MATRA, CSF, et EMD.

Maxime PODOLSKY
60 rue de Vaugirard
75006 PARIS
© D. 01 39 78 56 5X
B. 01 39 21 20 0X

54 ans
Polytechnicien promotion 63, ESE 68

Langues

Pratique professionnelle de l'anglais
Pratique intermittente de l'allemand.

Xavier ROBIN
35 allée des Lavandières
13801 MARSEILLE
Tél. 04 91 44 32 5X
Fax 04 91 45 55 1X

Né le 20 septembre 1948
Marié. 3 filles
Rotarien

BSN • Département : INSTANTANÉS

Marques : Le Bon Moine, Floréal, Vit' Prêt, Les Instantanés, Jeune Minceur…

Depuis 1994 — DIRECTEUR LES INSTANTANÉS

– Création et animation de ce Business Unit
  Produits commercialisés : corps gras, potages et aides culinaires déshydratés, produits de pâtisserie, viennoiseries, charcuterie, fromages et plats cuisinés sous vide.
  CA brut total 1997 : 300 MF
  Volume total : 20 000 tonnes
  41 personnes dont 11 cadres.

– Intégration dans cette activité et développement de l'Européenne de Plats cuisinés après en avoir recommandé l'acquisition

Président de cette unité restée juridiquement séparée.

  1995 : 700 tonnes – 1998 : 2 100 tonnes
  (- 5 MF) 3 MF (résultat d'exploitation).

– Développement de la gamme Le Bon Moine en restauration
  1995 : 2 000 tonnes – 1996 : 10 000 tonnes.

– Redressement du résultat global
  1996 : 22 MF – 1997 : 3 MF – Objectif 1997 : 0.

De 1992 à 1994 — DIRECTEUR DES VENTES
RESTAURATION HORS FOYER

– Création du poste : 25 vendeurs/conseillers professionnels

– Mise en place de la politique GRANDS CLIENTS.

De 1987 à 1991 — RESPONSABLE CLIENTS NATIONAUX
(GRANDE DISTRIBUTION)

– Construction d'un partenariat étroit avec un des principaux intervenants de la distribution

WOOLSFORTH EXPORT FRANCE

Société du groupe Woolsforth (détergents, corps gras, produits de toilette).

De 1982 à 1987   *DIRECTION REGIONALE* AFRIQUE CENTRALE
- Création et direction d'une filiale au Cameroun
- Mise en place de contrats de fabrications locales
- Supervision d'agents au Congo, Tchad, Gabon et RCA.

De 1977 à 1982   *CHEF DE GROUPE DE PRODUITS* DETERGENTS ET SAVONS
- Mise en place d'une activité de produits industriels
- Lancement/relancement de plusieurs produits.

De 1975 à 1977   *CHEF DE REGION SENIOR CAMEROUN, GABON, TCHAD*
- En charge de la succursale de Douala
- Supervision d'agents dans pays limitrophes.

De 1974 à 1975   *CHEF DE PRODUIT JUNIOR DETERGENTS*

De 1972 à 1974   *CHEF DE REGION JUNIOR CAMEROUN*

FORMATION
- Ecole des Cadres du commerce et des affaires économiques (Section internationale).
- Stages internes en France et Grande-Bretagne : Gestion, Marketing, Stratégie, Innovation, Management…
- Nombreux voyages professionnels en Afrique francophone, dans l'océan Indien, aux Antilles et dans les pays européens.

LANGUES
- Anglais : bon niveau
- Espagnol : notions.

Geneviève VAN TRAN   Née le 20 avril 1951
232, rue La Nouvelle   Nationalité française
93007 ROMAINVILLE
Tél. 01 49 78 26 2X (personnel)
     01 46 55 55 90 (travail)

▶▶ 23 ANS DE NÉGOCE EN ASIE DU NORD ◀◀

*Achat de produits industriels et de grande consommation
pour les marchés français et européens.
Mise en place d'opérations d'import-export.*

❑ EXPERIENCE PROFESSIONNELLE

De 1985 à ce jour : TRANSNEGOCE, Lyon
Vice-présidente de la division d'Asie du Nord

* Responsable de la localisation des sociétés manufac-
  turières et d'import-export, de l'établissement des relations bancaires et d'affaires avec les agents et de la
  supervision des opérations de frêt et d'importation,
  j'ai :
    – mis en place un département import-export qui
      a généré une diminution des délais d'achemine-
      ment de 40 % la première année ;
    – contracté avec 30 industriels d'Asie pour impor-
      ter avec succès près de 50 MF de marchandises
      par an ;
    – organisé la création d'une unité de production en
      Chine pour fournir à un marché norvégien l'équi-
      valent de 75 MF en new business.

1976-1985 : EURASIA, Boulogne-sur-Seine
*Assistante du directeur, puis directeur des opérations pour
l'Asie du Sud-Est (Japon, Corée, Taïwan, Hong-Kong)*

- Responsable des relations commerciales, j'avais en charge l'établissement des agents et leur formation à l'achat et au contrôle des produits de grande diffusion, de la mise au point des accords de négoce, des procédures de transport, de la fixation des tarifs et des prix d'acquisition. J'ai notamment :
  - contracté avec 36 industriels dans 7 pays pour l'importation de marchandises d'une valeur de 129 MF ;
  - négocié avec 5 grands distributeurs danois et anglais pour la commercialisation de produits coréens, avec pour résultat une augmentation des ventes de 25 % ;
  - mis en place un système original de distribution qui a permis de réduire les délais de 2 semaines en période de pointe.

❑ **FORMATION**

IUT Créteil, 1970-75.

❑ **LANGUES**

Vietnamien (langue maternelle)
Anglais et allemand courants
Notions de japonais.

❑ **DIVERS**

Peinture (deux expositions dans des salons d'amateurs)
Mariée, 3 enfants étudiants.

Fabien CARRIER
9 place d'Estienne-d'Orves
75018 PARIS
Tel. 01 46 18 26 1X (personnel)
    01 43 13 18 2X (bureau)

○ *Domaines de compétences*

J'ai exercé mon métier à différents niveaux de responsabilité pendant plus de 20 ans dans l'automobile.

Mes compétences sont :

➜
- la vente (de voitures neuves et d'occasion),
- l'administration des ventes,
- la formation commerciale,
- la direction d'un centre de profit,
- le conseil en organisation,
- la vente aux sociétés.

○ *Déroulement de carrière*

1992 à ce jour   *TURBO-FRANCE*
Successivement :
- Chef du service Organisation et promotion voitures d'occasion
- Chef du service Ventes aux sociétés.

1979 à 1992   *COUGAR-FRANCE*
Successivement :
- Chef du service Formation commerciale
- Chef des Ventes voitures d'occasion.

1976 à 1979   *4X4 FRANCE*
Successivement :
- Assistant commercial
- Agent commercial
- Vendeur succursale
- Inspecteur commercial.

○ *Principales réalisations*

TURBO-FRANCE
- Organisation en 90 d'une opération portes ouvertes (5 jours, 710 ventes, 2,4 fois plus que le volume habituel, stock voitures d'occasion moins 15 %).
- Conception et lancement en 92/93 de la garantie nationale Voitures d'occasion TURBO (95 % d'adhésion immédiate des concessionnaires).
- Elaboration d'une cote interne Voitures d'occasion TURBO-FRANCE en 92.

- Vente en 92 de 400 véhicules TURBO-FRANCE (CA 64 MF, 5 % de marge brute).
- Proposition en 93 d'une politique Ventes spéciales (loueurs, ambassades, flottes, VIP, VRP, journalistes). Budget promotionnel 15 MF pour 1 200 véhicules.
- Présentation en 93 de la gamme aux diplomates : opération de relations publiques/700 invitations, 300 participants, 30 ventes.
- Négociation de la revente de 50 véhicules repris à Avis (profit 4 000 F par véhicule).

COUGAR-FRANCE
- Analyse des besoins de la force de vente en matière de formation.
- Elaboration d'un plan de formation commerciale, destiné aux concessionnaires, chefs des ventes, vendeurs (plan de formation en 3 niveaux).
- Conception et animation de ces programmes de formation (200 personnes par an, environ 1 500 personnes de 80 à 83).
- Mise en place en 85 d'une organisation Vente de voitures d'occasion au sein d'une succursale.
- Préconisation et application d'une politique vente Voitures d'occasion aux particuliers, ayant permis une augmentation de la marge brute de + 15,5 %, dans un marché en baisse de 20 % en volume entre 85 et 89.

4X4 FRANCE
- Etudes et statistiques commerciales de la Direction régionale Paris-Ile-de-France.
- Gestion, contrôle des commandes et livraisons aux concessionnaires.
- Responsable d'un secteur de vente Voitures neuves : 160 véhicules/an.
- Animation de 30 concessionnaires, 70 vendeurs Voitures neuves/Voitures d'occasion.

○ **Formation**

- Collège d'Enseignement ommercial   CAP de comptabilité 1973
- Faculté de Droit de Paris   Capacité en droit
- Stages animation de groupe, méthodologie, pédagogie
- Stages de gestion.

○ **Divers**

Marié
Né le 8 juin 1953
Sports : tennis, cyclotourisme, jogging, karting.

François LAVIRON
12, rue Montaigne
92400 SCEAUX
Tél. 01 45 78 75 2X

Né le 27 mai 1952 à Nice
Marié, sans enfant

→ *Diriger les ventes de produits et matériels médicaux*

Evolution de carrière réalisée dans une société filiale française d'une multinationale américaine spécialisée dans la distribution de réactifs et appareillages de laboratoire.

IMMUNEX FRANCE
Filiale du groupe américain SKF – CA 220 MF – 80 personnes
CA consolidé mondial : 13,8 Md$ – 30 000 personnes.

Gammes : Immuno-hématologie, sérologie virale, coagulation, immunologie.
Cibles et clients : centres de transfusion sanguine, hôpitaux, laboratoires privés d'analyses médicales, INSERM, CNRS.

— *Depuis 1998 • Directeur des opérations commerciales* —

Gestion de l'Administration des ventes et du Service Commercial interne – Suivi du CA et du profit de la société – Directeur Export.

- Administration des ventes – Commercial interne
  Management de 7 personnes
  - Restructuration du service commandes : suivi des abonnements, suivi journalier du CA et du profit, cession des commandes à MONDYSPATCH, mise en place de la préparation mensuelle des abonnements.
  - Etude de la faisabilité de la saisie directe des propositions financières par le service commercial.

- Management de la Division Export
  Afrique noire francophone, pays du Maghreb, DOM-TOM (Antilles, Réunion, Polynésie-Française, etc.). Certains pays du Moyen-Orient et du Proche-Orient pour le sida.
  - Gestion d'un CA annuel de 12 000 000 F.
  - Augmentation du CA de 35 % en 9 mois par rapport à la même période 1996.
  - Management de 2 personnes (assistante et secrétaire export) et de 9 sociétés de distribution ou agents commerciaux.

——————— *1996-1997 • Directeur national des ventes* ———————

Pour 2 divisions : Transfusion (CTS et CHU) et Hôpitaux généraux, et Laboratoires privés d'analyses médicales

• MANAGEMENT de 5 vendeurs seniors, 2 directeurs régionaux, 9 vendeurs, 3 secrétaires, 2 ingénieurs d'application.
  – Gestion d'un CA de 220 000 000 F.

——————— *1994-1995 • Directeur national des ventes* ———————

Division Transfusion

• MANAGEMENT de 5 vendeurs seniors et 2 secrétaires.
  – Gestion d'un CA de 120 000 000 F.

1991-1992 • Chef de produit appareillage de coagulation
Chef de produit cytométrie de flux

• Responsable des ventes appareillage lourd (Cytométrie de flux, Automat de Virologie) sur la France. CA 15 MF.
  – Fin 1992 : introduction du test de dépistage de l'hépatite C (HCV).
  – CA HCV 10 MF en 2 mois.

1988-1991 • Responsable des ventes France pour l'appareillage

Hématologie, Coagulation, Virologie, Cytométrie.

–1985-1988 • Chef de produits et responsable des ventes France–
du premier appareil automatique de coagulation

Mise au point, évaluation, marketing opérationnel (fiche technique, brochure, publicité, etc.), ventes.

——— *1982-1984 • Responsable des ventes Sud-Est France* ———

Réactifs de laboratoire, début de commercialisation du premier automate à numération par comptage laser.

——— *1980-1981 • Responsable des ventes Sud-Est France* ———

Réactifs de laboratoire et petit matériel.

FORMATION

- BAC C – Mention AB
- Mathématiques supérieures, option biologie
- Mathématiques spéciales, option biologie
- Mathématiques CES – chimie organique – biologie physico-chimique moléculaire (mention AB)
- Moniteur responsable des TP/TD au CES de physiologie des régulations
- Suivi des cours du CES de microbiologie.

LANGUES

- Pratique régulière de l'anglais des affaires.

Laurent DELATTRE
17, rue Madame
75006 PARIS
Tél. 01 45 44 26 2X

29 ans – Célibataire

CHEF DE GROUPE PUBLICITE

● RESUME DE CARRIERE ●

Depuis novembre 1996 :
Chef de groupe au Groupe FCB
Annonces presse et affichage

Octobre 1996-octobre 1993 :
Chef de pub au Groupe Coroner
Spots TV et radio
Annonces presse et affichage

Juillet 1993-octobre 1992 :
Chef de pub junior TERO COMMUNICATION
Chargé de prospection MIDEM

● PRINCIPAUX BUDGETS ●

Automobiles :
Citroën

Luxe :
Christian Laroche (parfums)
Chanel (maquillage)

Alimentaire :
Gervais (glaces)
Panzani (pâtes)

Loisirs et Tourisme :
Swissair
Ser Voyages
Kuoni

● FORMATION ●

Diplôme Sup de Pub – 3ᵉ cycle
Maîtrise en Sciences Po, Paris 1ᵉʳ

● DIVERS ●

Anglais courant
Notions d'espagnol
Radio Bleue : création d'une émission
sur le marketing
Co-auteur de l'ouvrage La Pub,
paru en janvier 1993 aux éditions
Communication et Publicité.

JULIETTE DUMAS   Née le 29 juin 1965
3 boulevard Saint-Michel   Célibataire
75005 Paris
Tél. 01 45 22 30 4X
Port. 06 27 48 30 45

EXPÉRIENCE PROFESSIONNELLE

Femme actuelle – 12/1994 à ce jour
RESPONSABLE DE LA RUBRIQUE SOCIÉTÉ

– Recherche de sujets et rédation de deux enquêtes par mois
– Collaboration avec des pigistes, rewriting intensif, sélection
  de nouvelles.

Biba – 1994
RESPONSABLE DE LA RUBRIQUE ELLES FONT PARLER D'ELLES

– Recherche de sujets et de correspondants locaux
– Collaboration avec des pigistes, rewriting, participation à la
  rubrique Enfants.

GFL-FM : radio de Los Angeles – 10/1992-5/1994
REPORTER-JOURNALISTE

– Montage et production
– Accréditée auprès du gouvernement et spécialisée en problèmes
  de société.

France-Info – 6-9/1992
REPORTER-JOURNALISTE SOCIÉTÉ

– Présentation des journaux de l'après-midi, correspondante
  société en Australie

NBWC (radio à New York) – 10/1990-5/1992
ASSISTANTE DU RÉDACTEUR EN CHEF

– Rédaction des journaux du matin.

Alliance française de New York – 10/1991-5/1993
PROFESSEUR DE FRANÇAIS

– et collaboration à la rédaction d'un ouvrage pédagogique
  de français.

FORMATION UNIVERSITAIRE

1990-1991 – **Master of arts in journalism de l'Université de Los Angeles.**   Thèse en reportage-vidéo, mention très bien.

1989-1990   – **Diplôme d'études approfondies en Histoire contemporaine** à l'Institut d'Etudes politiques de Grenoble, mention très bien.

1986-1988   – **Diplôme de l'Institut d'Etudes politiques de Grenoble**, section Service public.

1986-1988   – **Diplôme d'Etudes universitaires générales** à Grenoble.

1985-1986   – **Hypokhâgne** au lycée Edouard Herriot à Lyon.

1985   – **Baccalauréat de lettres**, mention Assez Bien.

STAGE DE JOURNALISME

Matin de Paris, Marie-Claire, Géo, Biba.

ARTICLES DIVERS PUBLIÉS

Collaboratrice régulière au *Nouvel Observateur, Carrières et Emploi, Vingt Ans, Le Point, Musiques et Sons.*

PERSONNEL

– Bilingue français-anglais, bon niveau allemand.
– Maîtrise du traitement de texte.
– Sports : ski, voile, varappe, tennis (classée), golf.

René LEVEQUE   Célibataire
4 bis, rue André-Malraux   Né le 6 juin 1956
92400 COURBEVOIE
Tél. : 01 46 18 20 3X (répondeur)

Communication institutionnelle
10 ans d'expérience au siège d'un groupe de dimension internationale

---

EXPERIENCE PROFESSIONNELLE

Groupe BRIARD, *direction des ressources humaines et de la communication*

Depuis 1992

- **Chef du département Publications périodiques** (5 personnes)
  - Direction et rédaction en chef de *BRIARD Information*, revue de prestige trimestrielle éditée en français et en anglais. Tirage : 20 000 exemplaires.
  - Définition d'une formule éditoriale originale, cohérente avec la politique de communication institutionnelle, donnant de BRIARD l'image d'un groupe international en prise avec les problèmes économiques, culturels, scientifiques ou techniques de son temps.
  - Maîtrise et réduction des coûts de production : réorganisation par catégories socio-professionnelles du fichier des abonnés; travail direct d'éditeur avec tous les prestataires de services (directeurs artistiques, auteurs, fabricants de papier, agences, composeur, graveur, etc.).
  - Budget de fabrication ramené de 2 à 1 MF.

- **Responsable de communication interne**
  - Création, réalisation et diffusion en France et à l'étranger de *BRIARD Express*, feuille d'information en français et en anglais permettant de décrire « à chaud » et de situer dans leur contexte économique, géographique ou stratégique, des événements importants dans la vie du groupe.
  - Définition et pilotage du journal mensuel interne de *BRIARD, Avenirs*.

- **Responsable et, depuis 1994, gérant de BRIARD Edition Presse SARL**
  - Edition d'ouvrages techniques ou grand public relevant par leur sujet de la sphère d'intérêt du groupe BRIARD et contribuant à sa notoriété (sciences de la Terre, histoire industrielle, ingénierie pétrolière…).
  - Gestion commerciale de la société en liaison, selon les ouvrages, avec les partenaires de co-édition. Opérations de marketing direct.
  - Restauration de la rentabilité.

1989 à 1992

- **Chargé d'études au département Etudes et Documentation**
  - Définition et formulation des axes de communication institutionnelle de BRIARD assurant la cohérence des actions de communication

menées par les différentes entités du groupe et fournissant les éléments d'une image globale, déclinable en externe comme en interne.
– Conduite d'un bilan image du groupe amenant la direction générale et les différentes entités à prendre en compte l'importance des questions de communication externe et interne.
– Conception et rédaction d'une grande variété de supports d'information interne ou externe : brochures de notoriété, articles, notes de synthèse.

1988-1989

• **Adjoint au chef du département Cinéma-Vidéo**
– Lancement du magazine vidéo trimestriel, en français et en anglais, destiné à faire le lien entre le siège et les nombreuses filiales à l'étranger.

1985-1987

AFME – ASSOCIATION FRANÇAISE DE LA MAÎTRISE DE L'ÉNERGIE

– Détaché par le ministère de l'Education nationale auprès de cette association d'utilité publique. Création et rédaction en chef de la revue Perspectives (bi-annuelle, tirage à 30 000 exemplaires).

1984-1985

– Stage d'agrégation
– Professeur de Lettres (Saint-Germain-en-Laye).

1983-1984

– Service national
Professeur de Français à l'Ecole des officiers de Toulon.

FORMATION

Titres et diplômes
– Ancien élève de l'Ecole normale supérieure de Saint-Cloud (Lettres, 1979-1983)
– Agrégé de Lettres (1981)
– Diplômé de l'IEP de Lille (Service public, 1984).

Formation permanente
– Droit de la propriété littéraire et artistique (Asfored)
– Micro-informatique : traitement de texte (Word 4), messagerie (Profs)
– Anglais intensif (Institut britannique).

LANGUES

– Anglais : lu, écrit, parlé
– Russe : notions.

Henri POIVRE   Tél. 04 78 54 66 7 X
13 cours des Chartreux   Tél. portable 06 67 89 66 3 X
69300 LYON

DIRECTEUR | *de la CREATION D'IMAGES à la MISE EN PAGE* | **ARTISTIQUE**

♣ Compétences

❖ **Edition**
Connaissance et maîtrise de toute la chaîne graphique, de la création à la production industrielle; important carnet de contacts professionnels (individus free-lance comme partenaires industriels)

❖ **Graphisme, mise en page**
Forte expérience de production de revues, affiches et ouvrages, maîtrise des outils informatiques

❖ **Direction artistique**
Création des concepts et des images, gestion des projets, management des équipes créatrices.

✌ Parcours

Depuis 1997 : AGENCE TEXTUEL

❖ Chef de projet Publications

❖ DA : création des concepts et des styles

❖ Présentation clientèle, argumentaire
– Animation de l'équipe d'infographistes (5 personnes)

❖ Supervision et suivi des publications : en 1998, 37 magazines et publications (soit environ 24 millions de signes traités).
– Progression de la branche publication : + 15 % en 2 ans; taux de satisfaction : 85 %.

De 1994 à 1997 : BDDP Pré-presse

PAO Man

❖ Maquettiste en charge de réalisations : Interne RENAULT, Interne ROUSSEL-UCLAF, Interne SANOFI

Concepteur volant sur BDDP pub : assistance de création sur les budgets ORANGINA, WEIL, DANONE yaourts à boire, SLIM FAST et CORTAL

❖ Suivi de fabrication : contrôle de toute la chaîne graphique, de l'exécution jusqu'à la livraison, en passant par le flashage, la commande papier, etc.

Satisfaction entière, semble-t-il, de la part des clients, de la hiérarchie, des fournisseurs.

Bilan : quelques millions de signes « tombés », quelques jolies satisfactions d'apercevoir son graphisme affiché 4 × 3 sur les murs...

De 1989 à 1993 : Editions ARMAND COLIN

❖ Assistant de fabrication, metteur en page

- Gestion des commandes fournisseurs pour la fabrication d'ouvrages scolaires, couleur, reliés : planning, contrôles, interventions pour le respect des offices

- Mise en page de manuels scolaires en totalité ou en complément de texte, corrections de dernière minute, etc.

- Entretien et gestion du parc informatique PAO (6 stations complètes + scans et imprimantes) : mises à jour soft et hard, conformation et mise en compatibilité.

➡ Formation

1988/1989 : Maquettiste

❖ Journal TAM (Terre, Air, Mer) du ministère des Armées (au cours de mon service national)

❖ 1989 Ecole nationale des Arts décoratifs (Paris)

❖ 1987 BTS dessin industriel.

✎ Divers

❖ Célibataire, né en 1967 (31 ans)

❖ Rugby compétition nationale III – Grande randonnée.

❖ Fou de jeux vidéo (à mes heures perdues, rédacteur sur JOYSTICK Magazine).

François BERANGER
4, villa Blanche
92200 SAINT-CLOUD
Tél./Fax 01 49 99 70 IX

1989-1998 MAERTEX/CARGILL INTERNATIONAL – Paris

Structure centrale de la division Cargill (groupe britannique ICI)
CA 1996 : 600 000 kF.

▲ *Directeur Communication et Publicité* sous l'autorité directe du PDG

- Développement de la stratégie moyen terme de la marque
- Coordination des campagnes aux besoins des filiales
- Développement de la production publicitaire : photos, films, mannequins, droits d'utilisation
- Collaboration avec les photographes et réalisateurs : J. Jaeckin, J.-P. Goude, G. Giacobetti, J.-B. Mondino
- Responsabilité des médias : média planning, achat d'espaces
- Pratique du terrain : opérations points de vente, actions de merchandising et de PLV.
- Responsable budget de fonctionnement central et suivi des budgets locaux.
- Contrôle des actions engagées – post-tests, études, panels…
- Recherche des centres d'intérêt des 15/25 ans : sport, musique, cinéma…
- Collaboration avec le style et le produit pour développer le packaging, réaliser les catalogues et créer des actions d'image/produit.
- Développement des droits dérivés de la marque – papeterie, lunettes, bagagerie, chaussures…

Résultats : MAERTEX n° 3 sur le marché européen du jean.
Notoriété spontanée de la marque : 55 %.

1981-1988 MAERTEX FRANCE – Amiens

Filiale française du groupe

▲ **Chef de service Publicité Marketing** sous l'autorité du Directeur commercial

- Définition de la stratégie de communication
- En direct avec l'agence de publicité
- Mise au point des campagnes médias nationales
- Mise en place d'une politique terrain – détaillants, concurrents
- Suivi du budget
- Analyse résultats des actions : IFOP, IPSOS, SECODIP.
- Création du concept droits dérivés par la marque

- Développement d'actions sponsoring/RP : foot, rugby, moto, musique, cinéma…

    Résultats : MAERTEX n° 1 sur le marché français
    Notoriété spontanée de la marque : 51 %.

1976-1980 AGENCE BMCC – Paris
Agence à service complet – 22 collaborateurs

▲ **Directeur de Clientèle**
- Responsable budgets tourisme, luxe, textile
- Importante activité d'édition.

1970-1975 AGENCE MESTER'S – Paris

▲ **Chef de Publicité**
- Impliqué sur l'ensemble du développement des campagnes de publicité : réflexion, création, production, médias
- Clientèle composée principalement de promoteurs immobiliers (Tiffen Feau, Ocil, Cefic…).

Formation

- Baccalauréat
- Capacité en Droit, Faculté de Nice
- English Certificate of Cambridge.

Langues

- Anglais : lu, écrit, parlé
- Italien : connaissances de base.

Né le 5 juillet 1946 (54 ans)
Français
Marié, 3 enfants (17, 16, 9 ans).

Sports pratiqués :

Golf, ski, tennis.

Pays visités :

Afghanistan, Arabie Saoudite, Australie, Iran, Nigéria, Turquie, Yémen.

Pays connus professionnellement :

Allemagne, Autriche, Belgique, Espagne, Grande-Bretagne, Italie, Tunisie, USA.

Isabelle N'GUYEN
18, route de Cachan
92340 MEUDON
Tél. 01 41 90 67 8X

• *Mon objectif :*

Intégrer une équipe soignante d'un grand
établissement de soins (France-étranger)

EXPÉRIENCE PROFESSIONNELLE

▶ *Depuis 1998 :* **Infirmière attachée à l'hôtel Georges-V**
(Paris 8ᵉ)
189 chambres et suites, 256 personnes (personnel sala-
rié)

- #### • *Mission*

  En relation très étroite avec la direction générale de
  l'hôtel :
  - permanence des soins dans les locaux de l'hôtel
  - soins aux clients et au personnel (107 accidents
    du travail en 1997). Visites médicales, pratique
    des examens complémentaires
  - soutien psychologique et relationnel aux clients
    (+ de 30 nationalités, clientèle souvent âgée)
  - responsabilité médicale et « diplomatique » en
    totale autonomie (pas de médecin attaché en per-
    manence à l'hôtel)

- #### • *Bilan*

  500 interventions par mois en moyenne, même en
  dehors de mes heures de service !

▶ *De 1987 à 1993 :* **Infirmière d'entreprise à la COGEMA**
(enrichissement et retraitement nucléaires) – La Hague
2 800 salariés, 8 unités industrielles sur 25 hectares

- #### • *Mission*

  Collaborer avec l'équipe médicale permanente
  (2 médecins, 3 infirmières), en surveillant de façon
  draconienne les effets réels et potentiels des rayon-
  nements ionisants :

– prévention
– surveillance des capteurs individuels et collectifs
– visites médicales
– travail statistique exhaustif
– collaboration aux CHSCT.

• **Bilan**

283 incidents échelle 1
41 incidents échelle 2
3 incidents échelle 3
650 personnes suivies et contrôlées.

▶ *De 1985 à 1987 :* **Infirmière en pédiatrie à l'hôpital Beclère**
(Clamart, 92). Membre de l'équipe du Professeur Mulliez.

• **Mission**

– soins prénataux (amniosynthèse, échographie)
– accouchements avec ou sans intervention chirurgicale
– soins post-nataux : urgences prématurés.

• **Bilan**

985 accouchements, 1 022 naissances.

FORMATION

Etudes d'infirmière à La Montagne (Courbevoie-92).
Diplôme d'Etat en juin 1985.
Baccalauréat F8 (1982).
Formation permanente : CHU Clamart (92) en médecine du travail.
Langues : anglais, allemand, russe parlés et écrits.
Informatique : maîtrise de Word, Excell, DBase 2 sur PC, Medikey.

DIVERS

Dispense de cours de secourisme en milieu d'entreprise.
Travaux de décoration intérieure (stylisme d'ameublement).
Née en 1964 (35 ans). Célibataire, un enfant.

Hélène LABOURDETTE
33, rue du Pont-de-Lodi
75005 PARIS
✆ 01 43 24 56 0X

**Mon projet
DEVENIR VISITEUR MEDICAL**

EXPERIENCE PROFESSIONNELLE

——————— *Depuis 1993 : Hôpital Cochin (Paris)* ———————

- Depuis 1996 : SECRÉTAIRE-ASSISTANTE DU PROFESSEUR P. MILLER, chef du service Anesthésie-réanimation.

  A ce poste, j'assure les tâches et responsabilités suivantes :
    - planning, rendez-vous, accueil patients/personnalités;
    - gestion des « sollicitations » extérieures : accueil des visiteurs médicaux, interface avec les besoins et demandes administratives ou civiles;
    - commandes et approvisionnement du service : fournisseurs, rapports sur nouveaux produits;
    - assistance gestion équipe médicale (25 personnes dont 9 médecins);
    - préparation des colloques et entretiens professionnels du professeur (voyages fréquents à l'étranger, relations avec le journal *LANCET*).

- 1994-1995 : SECRÉTAIRE DU DIRECTEUR ADMINISTRATIF ET FINANCIER DE L'HÔPITAL

  Gestion des approvisionnements.
  Ordonnancement financier, suivi ministère du Budget.
  Reporting mensuel.
  Comptes rendus ministère de la Santé (établissement statistique).

- 1993-1994 : SECRÉTAIRE AU BLOC OPÉRATOIRE (6 interventions par jour en moyenne)
  Dactylographie des rapports des médecins.
  Plannings, approvisionnements.

———— *1991-1993 : Centre hospitalier de Vincennes* ————

- **SECRÉTAIRE AU SERVICE DES URGENCES**
  Prise en charge et orientation des malades.
  Dactylographie des rapports des médecins.

—*1988-1991 : Association humanitaire Médecins du Monde* –

- **SECRÉTARIAT** de la cellule Crise puis **ANIMATION** à Poitiers de la cellule médicale de la Mission France.

FORMATION

1984 : Baccalauréat F8
1986 : 2ᵉ année de médecine
1988 : La Femme secrétaire – BTS secrétariat bilingue.

DIVERS

Née le 3 juin 1966
Mariée, 2 enfants
Judo (compétition).

Gérard DEBRUYNE
55, rue du Chat-qui-pêche
80000 AMIENS
Tél. 03 28 88 43 0X

Visiteur médical sénior

Expérience professionnelle

Depuis 1996

Visiteur médical – RPR (RP-RHORER) Nord France

Missions : Prospection et développement de clientèle sur
4 départements.
- Lancement du béta-bloquant ARTRIX
- Fidélisation de la clientèle médecins

Objectifs : contrer l'offensive de GLAXO sur les béta-blo-
quants et les anti-ischémiques en stabilisant les variations de
commandes, augmenter les parts de marché.

Résultats : GLAXO piétine (+ 0,5 % sur 2 ans), PDM
Nord : +13 %.

1992-1996

**Charge d'études marketing – BDDP Médical (agence de
marketing et publicité)**
- Etudes, compilation et rédaction sur les études phase IV
  en vue des AMM
- Assistance du Directeur marketing OMNIUM SKF
  chez le client

- Mise en place opérationnelle des propositions agence/capacités clients sur les projets acceptés (lancements de produits nouveaux, opérations promotionnelles, recentrages marketing)
- Etudes de conditionnements
- Suivi de process qualité.

1988-1992

Acheteur Junior – SANOFI

- Mise en forme appels d'offre, rédaction, publication
- Négociations, mise en concurrence
- Procédures d'achat – Référencement industriel et commercial.

Formation

1988 : Diplôme Sup de Co Amiens
1988 : Chambre de commerce franco-allemande
1987 : DEUG Sciences Chimie (faculté de Lille).

Langues

Allemand courant
Anglais commercial.

Divers

Marié, deux enfants
Né en 1964 (36 ans).

Maîtrise informatique sur PC : ACCESS, WORD, EXCEL

Président de l'Amicale gastronomique fromagère
(Camembert – Normandie)
Compétition régionale d'échecs

Gilbert LACROIX
7 chemin du Trianon
95012 PONTOISE
Tél. 01 36 60 61 0X
ou 64 90 83 7X

29 ans
Nationalité : française

La restauration : un métier exigeant qui est toute ma vie

EXPERIENCE PROFESSIONNELLE

❑ Septembre 1995-novembre 1999 : BUFFALO GRILL

Manager

MES OBJECTIFS :

- Motiver et diriger une équipe importante pour gérer un restaurant de 540 couverts par jour.
- Structurer et gérer du personnel avec les plannings, les salaires, etc.
- Apporter un service de qualité et un accueil chaleureux par l'organisation et la rigueur.
- Obtenir de bons résultats par une gestion rigoureuse des stocks, des inventaires, des normes de sécurité et d'hygiène.

Ma disponibilité et ma motivation m'ont permis d'ouvrir 2 restaurants BUFFALO.

❑ Novembre 1994 à juin 1995 : CHAMBRE DES METIERS

Gestion hôtelière

LES TACHES :

- Un programme intense avec le droit du travail, la gestion informatique avec les écritures comptables. Sans oublier l'hygiène, la sécurité dans les restaurants.
- En anglais : étude de bilans et des prévisionnels.

❑ Janvier 1993 à décembre 1994 : DARTY ELECTRONIQUE

Directeur de magasin

- Animer et diriger une équipe de vendeurs, accueil et tenue du magasin.

–   Vente et montage des dossiers de crédit ou de facturation informatique, gestion des stocks et des recettes.

❏ Janvier 1990 à décembre 1993 : GROUPE ACCOR – COURTE-PAILLE

Responsable d'exploitation
–   Avec une équipe de personnes pour accueillir et servir 240 couverts par jour.
–   Gestion du personnel, des stocks, caisse…
–   Respect des budgets, pub, frais généraux…
–   Evolution dans 4 établissements.

❏ Décembre 1988 à novembre 1989 : CLUB DE TENNIS

Responsable bar + Restaurant
–   Premières responsabilités de gestion des stocks, diriger 3 personnes.
–   Distribution et gestion des 15 courts de tennis.
–   Organisation de soirées club.
–   Accueil, service, vente articles de sport.

❏ 1987 : HOLIDAY INN 4 étoiles Luxe

Commis de salle – chef de rang

❏ 1986 : HOTEL NEVERS 4 étoiles Luxe

Commis de salle

FORMATION

1985 : Ecole hôtelière – 2 ans
1987 : INFATH (Institut national du tourisme et de l'hôtellerie).

LANGUES ETRANGERES

Anglais parlé sans difficulté (conversation soutenue).

Loisirs : Cinéma, moto-cross, tennis.

Divers : Véhicule.

JACQUES DELCOURT   Né le 28 mai 1968 à Bordeaux
19, route de la Plaine   Marié. Libéré des obligations militaires
33010 BORDEAUX
Tél. 05 56 22 45 6X
Fax 05 56 88 77 4X

❯ DIPLOMES

- 1987 : BEP option Cuisine
  Lycée technique d'Hôtellerie et de Tourisme – 33000 Bordeaux

- 1985 : CAP option Cuisine
  Lycée technique d'Hôtellerie et de Tourisme – 33000 Bordeaux

❯ EXPERIENCE PROFESSIONNELLE

- **Maître d'hôtel**
  sur Bordeaux depuis mai 1999.

- **Chef de cuisine**
  Du 14 décembre 1998 au 17 avril 1999 – LES OURS
  Hôtel*** NN 40 chambres et restaurant gastronomique
  38800 Les Deux-Alpes – Tél. 04 76 78 21 9X.

- **Stage de création d'entreprise**
  Du 20 septembre au 6 décembre 1997
  Chambre de COMMERCE – 33007 Bordeaux

- **Chef de cuisine**
  Du 13 avril 1996 au 7 mai 1997 – LES SAPEURS
  Restaurant gastronomique de la Cité mondiale du vin
  Hôtel*** NN LE CLOSTER
  97 chambres – Banquet jusqu'à 1 000 personnes
  33001 Bordeaux – Tél. 05 56 66 79 8X.

- **Second de cuisine**
  Du 7 janvier 1995 au 13 mai 1996 – SOFITEL Bordeaux-Lac
  Hôtel **** NN 205 chambres et restaurant gastronomique
  Banquet jusqu'à 1 000 personnes
  33000 Bordeaux – Tél. 05 56 56 45 4X.

- **Chef de partie**

  Du 11 décembre au 31 décembre 1994 – MARTENS
  Restaurant gastronomique – CHIGRET
  66208 Perpignan – Tél. 04 68 77 66 5X.

- **Chef de partie**

  Du 24 avril 1994 au 7 octobre 1994 – LE SERPOLET
  Hôtel**** NN 48 chambres et restaurant gastronomique
  83360 Port-Grimaud
  Tél. 04 55 77 88 5X.

- **Responsable de cuisine**

  Du 21 décembre 1993 au 18 mars 1994 – L'ESTRINGANT
  Hôtle ** NN 48 chambres et restaurant
  06000 CANNES – Tél. 04 93 45 34 4X.

- **Responsable de cuisine**

  Du 2 octobre 1993 au 22 novembre 1993 – VERSIFLEUR
  Restaurant gastronomique
  32 rue des Tilleuls, 33200 Bordeaux – Tél. 05 56 55 44 3X.

- **Demi-chef de partie**

  Du 31 octobre 1992 au 1er septembre 1993 –
  LIVERPOOL SHERATON
  Hôtel **** 255 chambres et restaurant gastronomique
  1 Festival Square, LIVERPOOL UK – Tél. 227 54 3X.

- **Chef de partie**

  Du 24 mai 1992 au 30 septembre 1992 – LE MAS DU
  MARAICHER
  Hôtel *** NN 60 chambres et restaurant gastronomique
  83540 Ile de Porquerolles (Var) – Tél. 04 59 56 78 6X.

- **Cuisinier**

  De février 1990 au 30 mai 1992 – LENOTRE à Paris
  L'ILE AUX MOINES (restaurant gastronomique)
  Route du Lac, 92450 Boulogne-Billancourt.

- **Cuisinier**

  Du 4 décembre 1988 à février 1990 – LENOTRE à Paris
  Service Traiteur
  40 rue Mozart, 94210 La Varenne – Tél. 01 45 56 66 7X.

Laetitia De SENNEVILE
6, rue Hautecourt
75018 PARIS
Tél. 01 45 99 67 9X
Portable permanent : 06 07 68 56 4X

Comptable
Une expérience polyvalente unique au service de
l'industrie culturelle

• *Parcours professionnel* •

EDITION

Maîtrise de la filière comptable de l'édition :
- gestion des droits d'auteur (avances, contrats, provisions)
- gestion comptable des flux ouvrages (mise en place, retours)
- amortissements et provisions spécifiques
- suivi des dernières mesures fiscales (TVA connexe, exonérations et aides diverses)
- facturations, recouvrements, contentieux.

CINEMA

Maîtrise de la filière comptable du cinéma :
- gestion des paies et organismes sociaux spécifiques (congés spectacles, caisses de retraite)
- amortissements particuliers
- assurances, gestion des aides et avances, relations comptables et administratives avec CNC, Fond européen, etc.
- comptabilité analytique et gestion par produit (cellule comptable par film)
- déport physique sur tournage (caisse tournage, intermittents, figurants)

- rapprochement avec comptabilité anglo-saxonne (USA).

MUSIQUE ET MULTIMEDIA

Maîtrise de la filière comptable du multi-média/musical :
- gestion des créatifs (auteurs, informaticiens, artistes : paies, contrats)
- comptabilité analytique par produit; reporting d'avancement par produit et par phase de production (temporel)
- amortissements, provisions
- aides et avances.

• *Expérience* •

Depuis 1992 : collaboration avec l'agence MANPOWER Opéra (spécialisation édition-cinéma)
– 19 missions en 7 ans, de 15 jours à 6 mois
– Clients : Hachette, MK2, Montparnasse Multimédia, Dunod, L'Olivier, Norbert Productions, 3B, FR3, Les Films du Losange, Esther Productions, etc.

De 1988 à 1992 : cabinet comptable 4C Gestion (cinéma).

• *Formation* •

– BEP Comptabilité en 1988
– Informatique : maîtrise des logiciels SAARI gestion et comptabilité ainsi que deux progiciels spécifiques (cinéma) sur PC. Pratique de MAESTRIA sur Mac.
– Langue : anglais lu et parlé.

• *Divers* •

Célibataire, un enfant
Natation, lecture
Secrétaire de la section parisienne de Enfance et Partage.

Isabelle LEVAVASSEUR
12 quai Branly
44000 Nantes
Tél. 02 33 56 67 9X

COMPTABLE
Mon ambition : prouver que je peux assumer un poste de responsabilité comptable et montrer que je serai très profitable à l'entreprise

FORMATION

1999 : Bac Pro comptabilité : j'ai obtenu les
meilleures notes de ma classe
1998 : BEP administratif et comptable
1997 : CAP de comptabilité

Informatique :

- Maîtrise de Word 6 et Excel 7 sur PC ou Mac (indifféremment)
- Bonne connaissance de Météor (Borland) sur Mac (comptabilité)
- Maîtrise de Lotus gestion 3 sur PC (comptabilité et gestion commerciale).

EXPERIENCE PROFESSIONNELLE

1999 : RADIA SERVICE SA

Réparation de radiateurs automobiles. Saint-Nazaire
Société de 25 personnes, 65 MF CA
Stage 6 mois, en collaboration directe avec le comptable

- Gestion des paies (bulletin de salaires et déclarations sociales)
- Facturation et relance clients
- Rapprochements bancaires
- Gestion de la trésorerie.

1998 : DEULETTRE Associés

Cabinet d'expertise comptable, Les Sables d'Olonne
Stage 2 mois

- Contrôle des comptes bancaires d'un gros client informatique
- Vérification et enregistrement des écritures comptables
- Rédaction d'un rapport de fin d'activité.

1995 et 1996 : CUSENIER SA

Boulangerie industrielle, Nantes
Deux fois stage 1 mois aide-comptable

- Facturation et encaissement
- Gestion des stocks matières premières et produits finis
- Gestion de la trésorerie.

<u>DIVERS</u>

Langue : notions d'anglais.
Loisirs : compétition dériveur 505.

Isabelle DEPARDION
230 chemin des Faines
44240 SAINT-NAZAIRE
Tél. 02 41 67 82 7X

Mon projet : aider les architectes à bâtir nos villes

◆ **Expérience professionnelle** ◆

Depuis 1988
Cabinet BAUMES & VIELHOMME –
Architectes DPLG

Architecture villas, immeubles d'habitation,
bâtiments industriels
Cabinet de 8 permanents, dont 5 architectes
CA marge brute 1998 : 17 MF.

Ma mission

- Mise au point des projets d'après esquisses :
  dessin et modélisation CAO (logiciel Mainwall)
- Assistance des deux directeurs de l'agence :
  relations clientèle, relations fournisseurs, relations DDE
- Organisation des réponses aux appels d'offre :
  gestion des opérateurs publics ou privés,
  constitution des dossiers
- Gestion des permis de construire (45 dossiers
  en 1999) jusqu'à leur obtention.

Mes résultats

- Ne sont pas quantifiables, mais sans mes capacités d'organisation, d'anticipation et de diplomatie,
  le cabinet n'aurait pu traverser les 5 années de
  crise que vient de connaître la profession.
- De 1993 à 1999, le CA a (ir)régulièrement cru
  de 8 à 17 MF, la charge de travail permettant de

recruter 4 collaborateurs supplémentaires, dont 2 architectes.

Rapide et imaginative, on me dit aussi dotée d'un chaleureux talent pour le contact humain, atout essentiel dans notre métier. J'adore ce job, j'adore aider les gens à réfléchir, j'adore voir les maisons sortir de terre. Je crois que je suis vraiment faite pour ce métier.

◆ Formation ◆

- Ecole d'art et techniques appliquées (Nantes, 1990)
- Un an passé chez Madame Louise LE HALLEUR, architecte-décoratrice d'intérieur (Nantes, 1989).
- **Langue** : notions d'anglais.
- **Informatique** : CAO multilogiciels – outils d'assistance à la création architecturale sur Mac OS. Traceurs grands formats, tireurs TRISTAR.

◆ Divers ◆

Danse classique, cinéphilie art et essai.
Née en 1971 (29 ans), célibataire.

JOCELYNE DREPPAZ   56 avenue du Bois
Architecte DPLG (Lyon 1981)   94000 VINCENNES
200 000 m² construits   Tél. 01 46 78 99 0X

Ma spécialité depuis 10 ans : La réhabilitation
des logements sociaux

TRAVAIL EN AGENCE

Depuis 1995 : DECHARME & VUILLEMANE
Saint-Ouen-l'Aumône. 8 permanents.

❏ Responsable des projets suivants :
   • Lotissement Verlaine (Clichy) : lot de 12 immeubles
   • Cité Normandie (Evreux) : 2 × 96 logements
   • Cité des Charmilles (Melun) : 345 logements.

❏ Participation aux études de crèches (3), maisons des
jeunes, collèges.

1990-1995 : CHAMBRE & JOUBERT
Annecy. 4 permanents.

   • Cité olympique – La Clusaz (250 logements).

FREE-LANCE

❏ Collaboration en 5 ans (1985-1990) à 13 projets et réalisations dans 3 cabinets lyonnais.

AUTRES DOMAINES D'INTERVENTION

❏ Réhabilitation :
   • maisons individuelles (en campagne), appartements
   urbains, musées, lieux de culte.

❑ Concours :
- EPAD Tête Défense au sein de l'équipe de Sprekelsen (1987);
- Ministère de la Défense (1990);
- Cité et musée gallo-romains en Bourgogne (1994);
- Lauréate individuelle de la cité de la Musique à Dijon (1991) ;
- CAUE : collaboration aux structures d'Auxerre et de Chambéry pour les permanences de conseil, l'accueil des stagiaires, le suivi et la correction de cours pour les écoles régionales ;
- International : collaboration avec l'école SPENTI (Milan) sur un projet de réhabilitation d'un quartier de 120 000 habitants.

❑ Deux stages au Brésil (1984, 1985).

DIVERS

- Collaboration avec les équipes de NOUVEL, SERT, HOTT.
- Participation à la rétrospective PARIS/BERLIN.
- Mémoire effectué sur les toits de l'Ecole autrichienne.

Le CV allemand est très impersonnel

Aussi, « J'ai augmenté le chiffre d'affaires de 22% » est un type de formule à proscrire. Cette information sera éventuellement donnée, mais pas par vous-même: elle sera contenue dans le certificat de travail émis par votre entreprise!

Le CV allemand exige une grande franchise. Si vous avez des trous, dites-le ! Expliquez pourquoi vous avez dû vous arrêter. Les périodes de chômage ne font pas, comme souvent en France, mauvais effet.

Soyez bref : une page, bien condensée, suffit.

PHOTO
(Obligatoire)

LEBENSLAUF

PERSÖNLICHE DATEN

Etienne VIGRESME
7 rue d'Alésia
75014 Paris
Geb. am 18.03.1966
Straßburg, Frankreich
ledig

Schulausbildung :

1981-1987 : Gymnasium Saint-Exupery in Straßburg
Abschluss : Abitur
1987-1988 : Gymnasium Henri IV, Vorbereitung zur Hochschule

Hochschulausbildung :

1988-1993 : Technische Hochschule,
Studienschwerpunkt : Konstruktiver Ingenieurbau

Abschluss : Diplomingenieur Ecole des Mines (Nancy)

BERUFSTÄTIGKEIT

1993 - 1997 : Agence de Bassin, Alsace Lorraine, Guppenleiter im Technischen Büro
seit 1997 : Port autonome de Strasbourg, Abteilungsleiter der Technischen Abteilung

BESONDERE KENNTNISSE

EDV   Textverarbeitung WORD
                Programmierung in Pascal, C, Assembler
Fremdsprachen Englisch - fliessend in Wort und Schrift
                Italienisch - verhandlungssicher

SONSTIGES

Trainer einer Jugendschwimmannschaft

Straßburg, den .... Date   Signature (obligatoire)

*Les Italiens n'ont pas la religion, ou la culture –
comme on voudra – du CV. Ils n'accordent pas
une importance primordiale à celui-ci. C'est
l'entretien qui est décisif. D'ailleurs, au cours
de ce dernier, le recruteur demande, en général, une copie des diplômes du candidat.*

*169   Pour faire un CV italien, soyez le
plus sobre possible. N'insistez pas sur vos qualités. Cela a l'air d'un paradoxe, mais c'est la
réalité! L'entreprise italienne n'a rien à voir avec
ce que le cinéma nous a fait découvrir de la vie
quotidienne.*

Giacometti Giulia,
nata a Roma il 14 : 07 : 1971,
résidente a Milano in via Cavour, 3.
Tél : 41 27 57 5X

Maturità classica conseguita nel 1991 presso
il liceo Dante, con la votazione di 55/60.

Laurea in filosofia conseguita nell'anno acca-
demico 1995-1997, presso l'Università Statale di
Milano con la votazione di 110 e lode.

« High degree of proficiency in the English language » conseguito nel 1992 presso lo Shelley Institut di Roma

« Diplôme Supérieur de langue française » conseguito presso il Centre Culturel Français di Roma nel 1997 con il massimo di voti.

« Zertificat Deutsch als Fremdsprache » conseguito con la menzione « gut » presso il Geothe Institut di Franforte sul Meno.

Ho collaborato negli anni 1994-1996 presso la galleria d'arte « Arte Contemporanea » di Roma, dove he svolto mansioni di segretariato e pubbliche relazioni.

In grado di utilizzare il computer.

Le CV espagnol se caractérise essentiellement par l'absence de normes partagées par la plupart pour présider à sa construction : chacun fait pratiquement ce qu'il veut ! Un confrère m'a parlé d'un CV qui faisait 8 pages !

Ceci dit, la tendance moderne « tire » le CV espagnol vers la pratique anglo-saxonne, c'est-à-dire vers la normalisation une/deux pages, et la structuration vers les types classiques chronologiques, fonctionnels ou chrono-fonctionnels. Les managers espagnols, tournés d'ailleurs pour un grand nombre vers l'exportation et l'ouverture à l'extérieur, plébiscitent aujourd'hui des CV « européens », clairs et précis, faisant grand cas de la formation et précisant avec détail les compétences linguistiques.

Si vous postulez en Amérique latine, ne mentionnez pas de rubrique « Divers ».

François DERVAL
Francés
Domicilio : 52, rue des Arboises, 92800 BOULOGNE BILLANCOURT
Teléfono : Domicilio : 33(0)1 55 28 96 9X
Nacido : el 18 de julio 1971
Soltero

PROYECTO PROFESIONAL

Desarrollar mi especialidad y experiencia en la adaptación de productos franceses y españoles a sus recíprocos mercados de exportacion.

FORMACION ACADEMICA

1989 : Bachillerato : opción Matemáticas-Economía
1990-1993 : Instituto LORCAS (Barcelona). Diploma de comercio international
1994 : ESC ROUEN (Escuela Superior de Comercio) Obtención del Diploma con la especialización en Exportación de productos manufacturados.

IDIOMAS : francés : lengua materna.
Español, inglés : buen dominio oral y escrito.

EXPERIENCIA PROFESIONAL

Desde 1998 : Jefe de Misión exportación hacia la Península Ibérica, en La Cámara de Comercio de Rouen. Presupuesto : 2,5 millones de Francos.
En curso de realización : 13 proyectos de un importe de 156 Millones : Negociaciones, asistencia a industriales franceses, logistica en Ferias de Muestras y Exposiciones.

1996-98 : ATOCHEM, ingeníera.
– Miembro del grupo exportacion (12 personas)
– Coordonador de la mision « ASTURIAS » (Motaje y entrega Llave en mano de una unidad completa de « craking ».
45 desplazamientos a España ; relaciones y contactos, negaciones, coordinación técnica y comercial. Contratos : 240 Millones de francos, con implicación de 75 personas de ATOCHEM

– 1994-1995 : Puerto de Rouen :
– Estudio para la creación de un dique de carena en el puerto de Bilbao.
– En paralelo : asistencia de la misión « arquitectura medieval » de la DGR4 en Bruselas (Comisión de la Union Europea) para la restauración de La Abadia de Salamanca (1995-1999)

ACTIVIDADES EXTRA-LABORALES

– Secretario del « Circulo de amistad franco española » de Sevilla
– Tenis de competición
– Tauromaquia : afición
– lecturas

Plus qu'en France, le CV portugais peut comporter 2 à 3 pages, jusqu'à 4 au Brésil. La rubrique FORMATION est traitée avant l'expérience professionnelle.

Les portugais pratiquent presque seulement le CV chronologique, et vous avez intérêt à détailler tout ce qui touche à la formation continue, étape qu'ils apprécient particulièrement.

Les activités extra-professionnelles sont également prisées, ce qui est une tendance propre aux pays latins. Ne soyez donc pas avares de détails de ce côté-là. La quantification est une caractéristique encore peu développée, mais que je vous encourage à pratiquer, tant ce pays adopte nombre de comportements de type anglo-saxons.

Enfin, en ce qui concerne la lettre de candidature, il faut noter l'utilisation exagérée (pour des français !) des formules de politesse.

Constance ESPOSITO
Data de nascimento : 15 de Fevereiro de 1968
Estado civil : solteira
Nacionalidade : francesa/portuguesa
Morada : 34, rue de Breteuil
75015 PARIS
Teléfono : 01 56 75 85 9X
N° BI : 0105 223 4548

FORMAÇÃO
1987 : Baccalauréat F4 (equivalente do 12° grau português) Escola Francesa de Lisboa.
1990 : Ecole Supérieure des Nouvelles Technologies, Toulouse: especialização em plasturgia.
1991 : Diploma da Câmara de Comércio Franco-Portuguesa, secção técnica.

EXPERIÊNCIA PROFISSIONAL

Desde 1997 : Institut Louis Gerbeur em Evry (teste de novos materiais) : responsável pelos materiais compósito/poliuretana. Management duma equipa de 5 engenheiros / técnicos. Validei em 3 semanas os compostos B4 da nova gama Valéo.

Orçamento de funcionamento : 15 MF. 250 testes efectuados em 1998 para 28 empresas ou organismos. Relações comerciais e técnicas com estabelecimentos portugueses, tais como PRODUÇÃO MARÍTIMA (Porto)

1993-1997 : Estabelecimentos GERVAIZ em Sallanches (74). Engenheira de produção dos produtos termoformados (pequeno equipamento e peças móveis).

Contribuí à instalação do process EICHDORFF (poliuretana e derivados) na cadeia de produção da fábrica, permitindo uma capacidade de produção de 12 000 artigos diários.

1991-1993 : Aérospatiale (Toulouse) : engenheira de investigação no BE sobre compósitos. Teste das novas asinhas do A340. Relações técnicas com a firma EMBRAER (São Paulo). 6 missões técnicas no Brasil.

LÍNGUAS

Francês e Português : fluente
Inglês : lido, escrito, falado
Espanhol : comunicações técnicas.

OUTRAS COMPETÊNCIAS

Bons conhecimentos em informática e gestão.
Tradutora técnica para as edições Delmas (Paris) e Ferrando (Lisboa)

INTERESSES

Desportos : dança, natação • Viagens, cinema, leitura.

TABLE DES MATIÈRES

Réalisation : Compo-Méca s.a.
64990 Mouguerre

Achevé d'imprimer en août 2000
dans les ateliers de Normandie Roto Impression s.a.
61250 Lonrai
N° d'impression : 002104 - Dépôt légal : août 2000

Imprimé en France